COLLECTION TEL

Michel Leiris

Cinq études
d'ethnologie

Denoël / Gonthier

INTRODUCTION

C'est sur plus de vingt ans que s'échelonne la paru-
tion des cinq textes ici réunis, textes de divers ordres
comme on le verra. Il va sans dire que pour chacun
l'on devra tenir compte de l'époque autant que des
circonstances de son élaboration. De deux choses
l'une : ou il fallait les reprendre et cela — notamment
dans le cas de l'Ethnographe devant le colonialisme
— m'eût obligé à un long ajustement, travail fasti-
dieux et qui, au reste, m'est apparu moins urgent que
d'autres aujourd'hui ; ou il fallait (c'est le parti que
j'ai pris) les reproduire pratiquement sans retouches,
en me bornant à les situer au moyen d'une brève
note bibliographique.

Tels qu'ils sont, il me semble du moins que ces
textes indiquent, directement ou indirectement, ce
qu'est à mon sens l'ethnologie : une science, certes,
mais une science dans laquelle le chercheur se trouve
engagé personnellement peut-être plus que dans toute
autre. Son effort pour pénétrer une culture différente

de la sienne grâce à un travail de terrain l'amène, en effet, à se détourner (fût-ce temporairement) de cette dernière et, par contraste, lui en montre les limites, ainsi que les déficiences, même si déjà il n'avait pas adopté à son égard une attitude critique. D'autre part, au cours de son enquête — qui porte généralement sur un groupe dont la vie a pour cadre ce que désigne le terme équivoque de « sous-développement » — il noue avec les gens qu'il étudie des liens dont, s'il est loyal, il ne pourra humainement faire abstraction par la suite. D'où, sa position d'homme qui non seulement se dépayse mais, si l'on veut, trahit, soit qu'il renie au moins partiellement la culture au sein de laquelle il a grandi, soit qu'il fasse sienne la cause de ceux dont il est spécialement à même de comprendre et d'aider à comprendre les revendications.

Liquider l'ethnocentrisme, faire admettre que chaque culture a sa valeur et qu'il n'en est aucune dont, sur certains points, une leçon ne puisse être tirée, tel est, en tout cas, le programme minimum qu'un ethnologue conscient de la portée de sa discipline se voit poussé, par la nature même de sa recherche, à mettre en pratique de son mieux.

Première partie

I

RACE ET CIVILISATION

La nature des hommes est identique ; ce sont leurs coutumes qui les séparent.

CONFUCIUS, 551-478 av. J.-C.

Après avoir fait d'innombrables victimes civiles et militaires la récente guerre mondiale s'est terminée, sans que l'humanité y ait trouvé un apaisement, par la défaite de l'Allemagne nazie et des puissances qui avaient fait cause commune avec elle. C'est au nom de l'idéologie raciste — et particulièrement de l'antisémitisme — que les nationaux-socialistes avaient pris le pouvoir et c'est en son nom qu'ils avaient fait la guerre pour unir « tous les Allemands dans une plus grande Allemagne » et imposer au monde entier la supériorité germanique. Avec la chute d'Adolf Hitler on put croire que le racisme était mort ; mais c'était témoigner d'une vue bien étroite et raisonner comme si nulle forme du mal raciste ne sévissait dans le monde en dehors de cette forme — il est vrai la plus extrême et la plus virulente — qu'en avait représentée le racisme hitlérien ; c'était oublier que l'idée de leur supériorité congénitale est fortement ancrée chez la plupart des blancs, même chez ceux qui ne se croient pas racistes pour autant.

Grandes inventions et découvertes, équipement technique, puissance politique : voilà certes pour l'homme blanc des raisons de s'enorgueillir, encore qu'il soit douteux qu'une somme plus grande de bonheur pour l'ensemble de l'humanité ait résulté jusqu'à présent de ces acquisitions. Qui pourrait affirmer que le chasseur pygmée, dans les profondeurs de la forêt congolaise, mène une vie moins adaptée que tel de nos ouvriers d'usine européen ou américain ? Et qui pourrait oublier que le développement de nos sciences, s'il nous a permis d'accomplir d'indéniables progrès, dans le domaine sanitaire par exemple, nous a permis en revanche de perfectionner à tel point les moyens de destruction que les conflits armés ont pris depuis quelques dizaines d'années l'ampleur de véritables cataclysmes ? Reste qu'aujourd'hui encore, dans le vaste carrefour qu'est devenu le monde grâce aux moyens de communication dont il dispose, l'homme de race blanche et de culture occidentale tient le haut du pavé, quelles que soient les menaces de bouleversement qu'il sent monter du dehors et du dedans contre une civilisation qu'il regarde comme la seule digne de ce nom. Sa position privilégiée — dont une perspective historique trop courte l'empêche de voir non seulement combien elle est récente, mais ce qu'elle peut avoir de transitoire — lui apparaît comme le signe d'une prédestination à créer des valeurs que les hommes appartenant à d'autres races et pourvus d'autres cultures seraient capables tout au plus de recevoir passivement. Bien qu'il reconnaisse volontiers que plusieurs inventions lui viennent des Chinois (auxquels il ne refuse pas une certaine sagesse) et que le jazz par exemple lui a été donné par les nègres (qu'il persiste, il est vrai, à regarder comme de grands enfants), il s'imagine s'être fait de lui-même et être le seul à pouvoir se targuer d'avoir reçu, en quelque sorte à sa naissance et en vertu de sa constitution propre, une mission civilisatrice à remplir.

Dans un article publié en 1950 par *Le Courrier de l'Unesco* (vol. III, n° 6-7), le Dr Alfred Métraux (l'un des ethnographes dont les travaux ont porté sur le plus grand nombre de régions du globe) écrivait :

« Le racisme est une des manifestations les plus troublantes de la vaste révolution qui se produit dans le monde. Au moment où notre civilisation industrielle pénètre sur tous les points de la terre, arrachant les hommes de toutes couleurs à leurs plus anciennes traditions, une doctrine, à caractère faussement scientifique, est invoquée pour refuser à ces mêmes hommes, privés de leur héritage culturel, une participation entière aux avantages de la civilisation qui leur est imposée. Il existe donc, au sein de notre civilisation, une contradiction fatale : d'une part elle souhaite ou elle exige l'assimilation des autres cultures à des valeurs auxquelles elle attribue une perfection indiscutable, et d'autre part elle ne se résout pas à admettre que les deux tiers de l'humanité soient capables d'atteindre le but qu'elle leur propose. Par une étrange ironie, les victimes les plus douloureuses du dogme racial sont précisément les individus qui, par leur intelligence ou leur éducation, témoignent de sa fausseté. »

Ironie non moins étrange, c'est dans la mesure où les races réputées inférieures prouvent qu'elles sont à même de s'émanciper que, les antagonismes devenant plus aigus dès l'instant que les hommes de couleur font pour les blancs figure de concurrents ou se voient reconnaître un minimum de droits politiques, le dogme racial est affirmé avec une énergie plus manifeste tandis que, paradoxe non moins grand, c'est par des arguments présentés sous le couvert de la Science — cette divinité moderne — et de son objectivité qu'on cherche à justifier rationnellement ce dogme obscurantiste.

Certes — comme le fait remarquer l'auteur de l'article cité — il n'a pas manqué d'anthropologues pour dénoncer le caractère conventionnel des traits selon lesquels on répartit l'espèce humaine en groupes différents et assurer, d'autre part, qu'il ne saurait exister de races pures ; et l'on peut, de surcroît, regarder aujourd'hui comme établi que la notion de « race » est une notion d'ordre exclusivement biologique dont il est impossible — à tout le moins dans l'état actuel de nos connaissances — de tirer la moindre conclusion valable quant au caractère d'un individu donné et quant à ses capacités mentales. N'empêche que le racisme, avoué ou inavoué, continue à exercer ses ravages et que le genre humain, aux yeux du plus grand nombre, continue d'être divisé en groupes ethniques clairement délimités, doués chacun de sa mentalité propre, transmissible par l'hérédité, étant admis comme une vérité première qu'en dépit des défauts qu'on peut lui reconnaître et des vertus qu'on veut bien croire inhérentes à certaines des autres races, c'est la race blanche qui occupe le sommet de la hiérarchie, au moins par les peuples qui passent pour les meilleurs de ses représentants.

L'erreur qui fournit un semblant de base théorique au préjugé de race repose principalement sur une confusion entre faits *naturels,* d'une part, et faits *culturels,* d'autre part, ou — pour être plus précis — entre les caractères qu'un homme possède de naissance en raison de ses origines ethniques et ceux qu'il tient du milieu dans lequel il a été élevé, héritage *social* que trop souvent, par ignorance ou intentionnellement, on omet de distinguer de ce qui est en lui héritage *racial,* tels certains traits frappants de son apparence physique (couleur de la peau par exemple) et d'autres traits moins évidents. S'il est des différences psychologiques bien réelles entre un individu et un autre individu, elles peuvent être dues pour une part à son ascendance biologique personnelle (encore que nos connaissances à ce sujet soient fort obscures) mais ne sont en aucun cas explicables par ce qu'il est convenu d'appeler sa « race », autrement dit le groupe ethnique auquel il se rattache

par la voie de l'hérédité. De même, si l'histoire a
assisté à l'éclosion de civilisations très distinctes et si
les sociétés humaines actuelles sont séparées par des
différences plus ou moins profondes, il n'en faut pas
chercher la cause dans l'évolution raciale de l'humanité amenée (par le jeu de facteurs tels que la modification dans les situations respectives des « gènes »
ou particules qui déterminent l'hérédité, leur change-
ment de structure, l'hybridation et la sélection naturelle) à se différencier à partir de la souche unique
dont tous les hommes qui peuplent aujourd'hui la
terre sont vraisemblablement issus ; ces différences
s'inscrivent dans le cadre de variations culturelles
qu'on ne saurait expliquer ni par le soubassement
biologique ni même par l'influence du milieu géographique, pour impossible qu'il soit de négliger le rôle
de ce dernier facteur, ne serait-ce que comme élément faisant partie intégrante des *situations* auxquelles les sociétés ont à faire face.

Bien que la source des préjugés raciaux doive être
recherchée ailleurs que dans des idées pseudo-scien-
tifiques qui n'en sont pas la cause mais plutôt l'expression et n'interviennent que secondairement,
comme justification et comme moyen de propagande,
il n'est pas sans importance de combattre de telles
idées, qui ne laissent pas d'égarer nombre de gens,
même parmi les mieux intentionnés.

Faire le point de ce qu'on est fondé à regarder
comme scientifiquement acquis quant aux domaines
qu'il convient d'assigner respectivement à la « race »

et à la « civilisation » ; montrer qu'un individu,
compte non tenu de ce qui lui vient de son expérience
propre, doit le plus clair de son conditionnement psy-
chique à la culture qui l'a formé, laquelle culture est
elle-même une formation historique ; amener à reconnaître que, loin de représenter la simple mise en formule de quelque chose d'instinctif, le préjugé racial
est bel et bien un « préjugé » — à savoir une opinion préconçue — d'origine culturelle et qui, vieux
d'à peine plus de trois siècles, s'est constitué et a pris
les développements que l'on sait pour des raisons
d'ordre économique et d'ordre politique : tel est le
but de la présente étude.

LES LIMITES DE LA NOTION DE « RACE »

Il semblerait à première vue que la notion de
« race » soit une notion très simple, parfaitement
claire et évidente pour tous ; un employé américain
dans un bureau de Wall Street, un charpentier viet-
namien travaillant à la construction d'une jonque, un
paysan guinéen piochant son champ à la houe :
autant d'hommes appartenant à des races bien distinctes (le premier blanc, le deuxième jaune, le troisième noir), menant des genres de vie notablement
différents, ne parlant pas la même langue et, selon
toute probabilité, pratiquant des religions diverses.
Il est pour nous hors de doute que chacun de ces
trois hommes représente un type particulier d'huma-

nité : dissemblance physique, à laquelle s'ajoutent non seulement la dissemblance des vêtements mais celle des occupations et (on peut le présumer) celle des autres habitudes, manières de sentir, de penser et d'agir, bref tout ce qui constitue la personnalité. Le corps étant par excellence ce par quoi une personne se manifeste à nous, nous avons vite fait d'établir entre l'apparence extérieure et les façons d'être une relation de cause à effet : il nous paraît inscrit dans la nature des choses que l'employé à peau blanche occupe ses loisirs en lisant un « digest », que le jaune risque ses gains au jeu et que le noir, si c'est nuit de pleine lune, se joigne aux autres villageois pour chanter et danser. Nous tendons à voir dans la race le fait primordial, celui dont le reste découle, et, si nous considérons qu'il existe aujourd'hui un nombre considérable d'hommes de race jaune et de race noire qui exercent les mêmes métiers et vivent dans le même cadre que les blancs, nous sommes portés à voir là une sorte d'anomalie, à tout le moins une transformation artificielle, comme si à leur vrai fond s'était surajouté quelque chose d'étranger à eux-mêmes, qui altérerait leur authenticité.

Très nette, donc, nous apparaît la distinction entre les trois grands groupes en lesquels les savants sont presque tous d'accord pour répartir l'espèce *Homo sapiens* : caucasoïdes (ou blancs), mongoloïdes (ou jaunes, auxquels on joint généralement les Peaux-Rouges), négroïdes (ou noirs). La question se complique, toutefois, dès que nous prenons en considération le fait qu'entre ces divers groupes il s'opère des métissages. Un individu dont les parents sont l'un de race blanche et l'autre de race noire est ce qu'on appelle un « mulâtre » ; cela dit, convient-il de le ranger dans la catégorie des blancs ou dans celle des noirs ? Sans être un raciste avéré, un blanc, selon toute probabilité, verra en lui un « homme de couleur » et inclinera à le ranger du côté des noirs, classement évidemment arbitraire puisque, du point de vue anthropologique, un mulâtre ne se rattache pas moins à la race blanche qu'à la race noire par son hérédité. Il nous faut donc admettre que, s'il existe des hommes qui peuvent être regardés comme blancs, noirs ou jaunes, il en est d'autres que leur ascendance mixte empêche de dûment classer.

La race diffère de la culture, de la langue et de la religion

A l'échelle des grands groupes raciaux, malgré les cas litigieux (par exemple : les Polynésiens sont-ils des caucasoïdes ou des mongoloïdes ? Doit-on regarder comme blancs ou noirs les Ethiopiens, qui possèdent des traits de l'une et l'autre race et, soit dit en passant, désignent sous le nom méprisant de « chankallas » les noirs soudanais chez lesquels, traditionnellement, ils prenaient des esclaves ?), le classement est relativement simple : il est des peuples qui, sans conteste possible, appartiennent à l'une ou l'autre des trois branches ; nul ne saurait se récrier si l'on dit qu'un Anglais est un blanc, un Baoulé un noir ou un Chinois un jaune. C'est à partir du moment où l'on essaie, au sein de chacun des trois grands groupes, de distinguer des sous-groupes qu'apparaît ce qu'il y a de trompeur dans l'idée qu'on se fait communément de la race.

Dire qu'un Anglais est un homme de race blanche, il est entendu que cela est au-dessus de toute discussion et tombe d'ailleurs sous le sens. Mais c'est une absurdité que de parler d'une « race » anglaise, voire même de regarder les Anglais comme étant de « race nordique ». L'histoire nous apprend en effet que, comme tous les peuples de l'Europe, le peuple anglais s'est formé grâce à des apports successifs de populations différentes : Saxons, Danois, Normands venus de France ont tour à tour déferlé sur ce pays celtique et les Romains eux-mêmes, dès l'époque de Jules César, ont pénétré dans l'île. De plus, s'il est possible d'identifier un Anglais à sa façon de se vêtir ou simplement de se comporter, il est impossible de le reconnaître comme tel sur sa seule apparence physique : il y a chez les Anglais, comme chez tous les autres Européens, des blonds et des bruns, des grands et des petits et (pour nous référer à l'un des critères les plus usités en anthropologie) des dolicho-céphales (ou gens au crâne allongé dans le sens an-téro-postérieur) et des brachycéphales (ou gens au crâne large). D'aucuns peuvent avancer qu'il n'est pas difficile de reconnaître un Anglais d'après certains caractères extérieurs qui lui composent une allure propre : sobriété de gestes (s'opposant à la gesticulation qu'on attribue d'ordinaire aux gens du Midi), démarche, expressions du visage traduisant ce qu'on désigne sous le terme assez vague de « flegme ». Ceux qui hasarderaient, toutefois, une pareille assertion auraient chance d'être pris souvent en défaut ; car il s'en faut de beaucoup que tous les Anglais présentent ces caractères et, même en admettant qu'ils soient ceux de l'« Anglais typique », il n'en demeurerait pas moins que ces caractères *extérieurs* ne sont pas des caractères *physiques* : attitudes corporelles, façons de se mouvoir ou de faire jouer les muscles de la face relèvent du comportement ; ce sont des habitudes, liées au fait qu'on appartient à un certain milieu social ; loin d'être choses de *nature* ce sont choses de *culture* et — si l'on peut à la rigueur les regarder comme des traits, non pas « nationaux » (ce qui serait généraliser d'une manière abusive), mais communs dans une certaine classe de la société pour un certain pays ou une certaine région dudit pays — on ne saurait les compter parmi les signes distinctifs des races.

Il convient donc de ne pas confondre une « race » avec une « nation », ainsi qu'on le fait trop souvent vu l'acception très lâche avec laquelle le mot « race » est employé dans le langage courant, imprécision de terme qui a ses incidences sur le plan politique et dont la dénonciation n'est donc pas simple affaire de purisme.

De prime abord, on peut penser que rien n'est changé s'il est question de la « race latine » alors que c'est « civilisation latine » qu'il faudrait dire, les Latins n'ayant jamais existé en tant que race, c'est-à-dire (suivant la définition du professeur H. V. Vallois) en tant que *groupement naturel d'hommes présentant un ensemble de caractères physiques héréditaires communs*. Il y a eu, certes, un peuple qui avait pour langue le latin et dont la civilisation, à l'époque de l'Empire romain, s'est étendue à la plus grande partie de l'Europe occidentale et même à une portion de l'Afrique et de l'Orient, cela lorsque la *pax romana* eut été imposée à un grand nombre de populations très diverses et que Rome fut devenue l'une des cités les plus cosmopolites que les hommes aient jamais connues. Ainsi, la latinité ne s'est pas limitée à l'Italie ni même à l'Europe méditerranéenne et l'on peut retrouver sa marque dans des pays (Angleterre et Allemagne occidentale, par exemple) dont les habitants, aujourd'hui, ne se regardent pas comme faisant partie du monde latin. S'il est bien évident que la prétendue « race latine » n'a que peu contribué à leur peuplement, il n'en est pas moins vrai qu'ils ne sont pas fondés à se considérer comme étrangers à la « civilisation latine ».

Une confusion du même ordre, exploitée de la façon que l'on sait par la propagande raciste, s'est opérée à propos des « Aryens » : quoi qu'en ait dit le comte de Gobineau (qui fut, avec son *Essai sur l'inégalité des races humaines* paru en 1853-1857, l'un des premiers propagateurs de l'idée de la supériorité nordique), il n'y a pas de race aryenne ; on peut seulement inférer l'existence, au IIe millénaire avant notre ère, dans les steppes qui couvrent le Turkestan et la Russie méridionale, d'un groupe de peuples doués d'une culture et d'une langue communes, l'indo-européen, d'où dérivent entre autres langues le sanscrit, le grec ancien et le latin, ainsi que la plupart des langues parlées aujourd'hui en Europe, car l'expansion et l'influence de ces peuples ont intéressé une aire d'une ampleur considérable. De toute évidence, le fait d'avoir une langue commune ne signifie pas qu'on est de la même race : ce n'est pas l'hérédité biologique mais l'éducation reçue qui fait que l'un parlera chinois alors que d'autres parleront anglais, arabe ou russe. Nul besoin d'insister sur les ravages auxquels l'idée d'une supériorité congénitale de la prétendue « race aryenne » a servi de prétexte.

Une autre confusion, qui ne semble malheureusement pas près d'être dissipée, est celle qu'on commet à propos des juifs, regardés eux aussi comme constituant une race, alors qu'on ne peut les définir que d'un point de vue confessionnel (appartenance à la religion judaïque) et, tout au plus, d'un point de vue culturel (étant entendu que la ségrégation dont pendant des siècles ils ont été l'objet de la part de la chrétienté et l'ostracisme auquel ils sont encore plus ou moins en butte dans de nombreuses régions du monde ont forcément tendu à maintenir, chez les juifs des différents pays, certaines façons d'être communes qui ne ressortissent pas au domaine religieux). Les Hébreux étaient, à l'origine, des pasteurs de langue sémitique, comme les actuels Arabes ; très tôt, ils se mêlèrent à d'autres peuples du Proche-Orient, y compris les Hittites de langue indo-européenne, et subirent des vicissitudes telles que le séjour en Egypte auquel mit fin l'Exode (IIe millénaire av. J.-C.), la Captivité de Babylone (VIe siècle av. J.-C.), puis la conquête romaine, épisodes qui les amenèrent à de nombreux mélanges, avant même la Diaspora ou dispersion dans tout l'Empire romain, qui suivit la destruction de Jérusalem par Titus (70 apr. J.-C.). Dans l'antiquité, le peuple juif comprenait, semble-t-il, à peu près les mêmes éléments raciaux que les Grecs des îles et de l'Asie-Mineure. Aujourd'hui, les juifs sont si peu définissables au point de vue anthropologique — en dépit de l'existence d'un prétendu « type juif », distinct d'ailleurs pour les ashkenazim ou juifs du Nord et les sephardim ou juifs du Sud — que les nazis eux-mêmes (pour ne rien dire du recours à des insignes spéciaux) ont dû s'en remettre au critère religieux comme moyen d'opérer la discrimination : était considéré comme de race juive celui dont la généalogie révélait qu'il avait parmi ses ascendants le nombre voulu d'adeptes du judaïsme. Telles sont les inconséquences de doctrines comme le racisme, qui n'hésitent pas à forcer les données scientifiques et celles même de l'élémentaire bon sens selon les besoins politiques de leurs tenants.

Qu'est-ce qu'une race ?

Puisqu'une communauté nationale ne forme pas une race, que la race ne peut pas se définir par la communauté de culture, de langue ou de religion et qu'à aucun des trois grands groupes raciaux eux-mêmes on ne saurait assigner de strictes limites géographiques (l'expansion européenne s'est, en effet, opérée de telle façon qu'on trouve aujourd'hui des blancs dans les régions du globe les plus disparates et, d'autre part, il y a maintenant en Amérique, sans compter les Indiens, de nombreux jaunes ainsi que des millions de noirs qui sont les descendants des Africains importés comme esclaves à l'époque de la traite), il faut examiner ce qu'est la race en se cantonnant sur le terrain de l'anthropologie physique, seul terrain où pareille notion — essentiellement biologique puisqu'elle se réfère à l'hérédité — puisse avoir quelque valeur, sauf à rechercher ensuite si l'appartenance d'un individu à une certaine race n'implique pas des corollaires psychologiques qui tendraient à le particulariser du point de vue culturel.

La notion de « race », on l'a vu, repose sur l'idée de caractères physiques transmissibles permettant de répartir l'espèce *Homo sapiens* en plusieurs groupes qui sont l'équivalent de ce qu'en botanique on nomme « variétés ». Or ce qui rend la question délicate même de ce seul point de vue, c'est qu'on ne peut s'en tenir à un seul caractère pour définir une race (il est, par exemple, des Hindous à peau foncée qui se différencient des noirs à trop d'autres égards pour qu'on puisse les considérer comme tels). En outre, pour chacun des caractères auxquels il faut se référer, il y a gradation, de sorte que, loin d'être donnée dans les faits, la division en catégories se fera de manière arbitraire. Pratiquement, une race — ou sous-race — se définira comme un groupe dont les membres se tiennent, *en moyenne,* dans ces limites arbitrairement choisies quant aux divers caractères physiques retenus comme différentiels et il se produira, d'une population à l'autre, des chevauchements, les éléments les plus clairs de peau, par exemple, dans des populations considérées comme de race noire étant parfois aussi peu foncés — voire moins foncés — que les éléments les moins clairs dans des populations considérées comme de race blanche. Ainsi, au lieu d'obtenir un tableau des races aux divisions très nettes, on parviendra seulement à isoler des séries d'individus qui présenteront l'ensemble des caractères regardés comme constitutifs d'une race déterminée et pourront être considérés comme les représentants les plus typiques de cette race dont les traits distinctifs ne se retrouvent pas tous ou ne se retrouvent qu'à un moindre degré chez leurs congénères. Faudra-t-il en conclure que ces individus typiques représentent la race en question à l'état pur — ou presque — alors que les autres n'en seraient que des représentants bâtards ?

Rien n'autorise à l'affirmer, car l'héritage biologique d'un individu se composant d'une nombreuse série de caractères qui viennent du père et de la mère et (suivant l'image employée par Ruth Benedict dans son exposé des lois mendéliennes de l'hybridation) « doivent être conçus non comme de l'encre et de l'eau qui se mêlent mais comme un assortiment de perles qui s'arrangeraient d'une manière nouvelle pour chaque individu », des individus représentant des arrangements inédits sont constamment produits, de sorte qu'une multitude d'associations différentes de caractères sont ainsi obtenues en peu de générations. Le « type » ne répond nullement à un état privilégié de la race ; il a une valeur d'ordre essentiellement statistique et n'exprime guère que la fréquence de certains arrangements frappants.

Du point de vue génétique on voit mal comment le monde humain actuel ne serait pas tant soit peu chaotique, puisque des types très divers apparaissent dès les époques préhistoriques et qu'il semble que des migrations de peuples et des brassages considérables se soient produits très tôt au cours de l'évolution de l'humanité. Pour ce qui concerne l'Europe, par exemple, au paléolithique inférieur on trouve déjà des espèces distinctes, l'homme de Heidelberg, celui de Swanscombe, dont l'apparence est encore archaïque. Puis diverses races se succèdent : au paléolithique moyen on a l'homme de Neanderthal (variété très primitive de l'espèce *Homo sapiens* ou bien espèce à part) ; au paléolithique supérieur se manifestent les représentants de l'*Homo sapiens* actuel : races de

Cro-Magnon (dont des restes se retrouveraient aujourd'hui parmi les habitants des îles Canaries descendant des anciens Guanches), de Chancelade (que certains de ses traits ont fait rapprocher, à tort, des Esquimaux), de Grimaldi (dont le type évoque les négroïdes actuels). Au mésolithique on constate l'existence d'un mélange de races, d'où émergent au néolithique les Nordiques les Méditerranéens et les Alpins, qui ont constitué jusqu'à ce jour les éléments essentiels du peuplement de l'Europe.

Dans le cas de petites sociétés relativement stables et isolées (soit telle communauté esquimau vivant, en économie presque fermée, de la chasse aux phoques et autres mammifères aquatiques), les représentants des divers lignages constitutifs de la communauté ont à peu près la même hérédité et l'on pourrait, alors, parler de pureté raciale. Mais il n'en est pas ainsi quand il s'agit de groupes plus importants, car les croisements entre familles se sont alors opérés à une échelle trop grande et avec l'intervention d'éléments de provenances trop diverses. Appliqué à de larges groupes au passé tumultueux et répartis sur de vastes aires, le mot « race » signifie simplement que, par-delà les distinctions nationales ou tribales on peut définir des ensembles caractérisés par certaines concentrations de caractères physiques, ensembles temporaires, puisqu'ils procèdent de masses nécessairement changeantes (par leur mouvement démographique même) et engagées dans un jeu historique de contacts et de brassages constants

Qu'est-ce qu'un homme doit à sa race ?

Du point de vue de l'anthropologie physique, l'espèce *Homo sapiens* se compose donc d'un certain nombre de races ou groupes se distinguant les uns des autres par la fréquence de certains caractères transmis par la voie de l'hérédité mais qui ne représentent évidemment qu'une faible part de l'héritage biologique commun à tous les êtres humains. Bien que les ressemblances entre les hommes soient, de ce fait, beaucoup plus grandes que les différences, nous sommes enclins à regarder comme fondamentales des différences qui ne représentent rien de plus que les variations d'un même thème : de même que les différences de traits entre gens de notre entourage ont chance de nous apparaître plus marquées que celles qui existent entre des personnes qui nous sont étrangères, les différences physiques entre les races humaines nous donnent l'impression — fausse— d'être considérables, et cela dans la mesure précisément où une telle variabilité est plus frappante chez des êtres qui sont nos *prochains* que chez ceux qui appartiennent à d'autres espèces.

A ces différences dans l'aspect extérieur on est d'autant plus porté à associer des différences psychologiques que les hommes de races différentes ont souvent, en fait, des cultures différentes : un magistrat d'une de nos grandes villes diffère physiquement d'un notable congolais et ils ont également une mentalité différente. Toutefois, de leurs physiques différents à leurs mentalités différentes il n'y a nul rapport démontrable de cause à effet ; on observe seulement que ces deux hommes relèvent de deux civilisations distinctes, et cette distinction n'est même pas telle qu'on ne puisse trouver entre eux certaines similitudes liées à l'analogie relative de leurs positions sociales, de même qu'un paysan normand et un paysan mandingue, qui vivent tous les deux de la parcelle de terre qu'ils détiennent, ont chance de présenter un minimum de points de ressemblance, outre ceux que tous les hommes ont de commun entre eux.

Aux caractères censément « primitifs » que les hommes de race blanche croient voir se manifester dans le physique des hommes de couleur (illusion naïve, car à l'égard de certains traits ce serait bien plutôt le blanc, avec ses lèvres minces et sa pilosité plus abondante, qui se rapprocherait des singes anthropoïdes) on a pensé que correspondait une infériorité d'ordre psychologique. Toutefois, ni les recherches des anthropologues portant sur des questions telles que le poids et la structure du cerveau pour les différentes races ni celles des psychologues visant à évaluer directement leurs capacités intellectuelles n'ont abouti à quoi que ce soit de probant.

On a pu constater, par exemple, que le cerveau des nègres pèse, en moyenne, un peu moins que celui des Européens, mais on ne peut rien conclure d'une différence aussi minime (d'ampleur bien moindre que les différences observables d'individu à individu au sein d'une même race) et le cas de certains grands hommes (dont le cerveau, pesé après leur mort, s'est révélé sensiblement plus léger que la moyenne) montre qu'à un cerveau plus lourd ne correspond pas nécessairement une plus grande intelligence.

Quant aux tests psychologiques, à mesure qu'on les a perfectionnés de manière à éliminer le plus possible les différences dues à l'environnement physique et à l'environnement social (soit l'influence exercée par l'état de santé, le milieu, l'éducation reçue, le degré d'enseignement, etc.), ils ont tendu à montrer la ressemblance foncière des caractères intellectuels entre les différents groupes humains. En aucune manière on ne saurait dire d'une race qu'elle est plus (ou moins) « intelligente » qu'une autre ; si l'on peut, assurément, constater qu'un individu appartenant à un groupe pauvre et isolé — ou à une classe sociale inférieure — se trouve handicapé par rapport aux membres d'un groupe vivant dans des conditions économiques meilleures (telles que, par exemple, on n'y est pas sous-alimenté ou placé dans des conditions insalubres et qu'on y bénéficie de plus de stimulation), cela ne prouve rien quant aux aptitudes dont il pourrait témoigner dans un milieu plus favorable.

De même, quand on a cru observer chez les prétendus « primitifs » une supériorité sur les « civilisés » dans le domaine des perceptions sensorielles — supériorité conçue comme une manière de corollaire

à leur infériorité présumée dans le domaine intellectuel — on a conclu trop vite et négligé de faire la
part de l'éducation perceptive : celui qui vit, par
exemple, dans un milieu où la chasse et la collecte
des végétaux sauvages constituent la principale ressource alimentaire acquiert, sur le civilisé, une supériorité notable dans l'art d'interpréter des impressions
visuelles, auditives, olfactives, dans l'habileté à s'o-
rienter, etc. Là encore, ce qui joue est le facteur culturel plutôt que le facteur racial.

Enfin, toutes les recherches sur le caractère ont été
impuissantes à démontrer qu'il relève de la race :
dans tous les groupes ethniques on trouve des types
très divers de caractères, et il n'y a aucune raison de
penser que tel ou tel de ces groupes aurait pour lot
une plus grande uniformité à ce point de vue. Regarder, par exemple, les noirs comme généralement
enclins à l'insouciance et les jaunes à la contempla-
tion, c'est schématiser grossièrement et attacher une
valeur absolue à des observations purement circons-
tancielles ; sans doute le nègre paraîtrait-il moins
« insouciant » aux blancs si ces derniers, à la faveur
de l'esclavage et de la colonisation, n'avaient pas pris
pour modèle du portrait qu'ils se sont fait de lui l'individu arraché à son milieu et dans la dépendance
d'un maître qui l'oblige à un travail auquel il ne peut
porter nul intérêt de sorte qu'il n'a guère le choix —
s'il échappe à l'abrutissement qu'ont chance d'entraîner pareilles conditions de vie — qu'entre la révolte
et une sorte de fatalisme résigné ou souriant (le se-

cond, d'ailleurs, n'étant parfois qu'un masque pour couvrir la première) ; probablement aussi, le jaune leur semblerait moins naturellement « contemplatif » si — sans même parler de ce que nous savons du Japon qui, à partir de 1868, s'érigea bel et bien en puissance impérialiste après avoir vécu pendant des siècles presque sans guerre étrangère et s'être attaché surtout aux questions d'étiquette et à l'appréciation des valeurs esthétiques — la Chine avait été connue dès l'abord non par ses philosophes et par les inventions dont nous lui sommes redevables, mais par ses productions littéraires de tendance réaliste qui nous font voir (comme c'est le cas pour le *Kin P'ing Mei*, roman licencieux dont la première édition date de 1610) des Chinois s'adonnant plus volontiers aux turbulences de la galanterie qu'à l'art ou à la mystique.

Il résulte donc des recherches effectuées au cours de ces trente ou quarante dernières années, tant par les anthropologues que par les psychologues, que le facteur racial est loin de jouer un rôle prépondérant dans la constitution de la personnalité. Il n'y a là rien qui doive surprendre si l'on veut bien considérer que des traits psychologiques ne peuvent pas se transmettre héréditairement de manière directe (il n'y a pas un gène qui, par exemple, rendrait distrait ou attentif), mais que l'hérédité joue ici dans la seule mesure où elle exerce une influence sur les organes dont l'activité psychologique dépend, soit le système nerveux et les glandes à sécrétions internes, dont le rôle, assurément important quant à la détermination des traits émotionnels, apparaît, dans le cas des individus normaux, comme plus limité par comparaison avec celui des différences d'environnement pour ce qui concerne les qualités intellectuelles et morales. Viennent ici au premier plan des éléments tels que le caractère et le niveau intellectuel des parents (du fait que l'enfant grandit à leur contact), l'éducation sociale aussi bien que l'enseignement au sens strict, la formation religieuse et l'entraînement de la volonté, l'occupation professionnelle et la fonction dans la société, bref, des éléments qui ne relèvent pas de l'hérédité biologique de l'individu et moins encore de sa « race » mais dépendent dans une large mesure du milieu où il s'est développé, du cadre social dans lequel il est inséré et de la civilisation à laquelle il appartient.

L'HOMME ET SES CIVILISATIONS

De même qu'à l'idée de nature s'oppose celle de culture comme s'oppose au produit brut l'objet manufacturé ou bien à la terre vierge, la terre domestiquée, à l'idée de « civilisation » s'est longtemps opposée — et s'oppose encore dans l'esprit de la plupart des Occidentaux — l'idée de « sauvagerie » (condition du « sauvage », de celui qu'en latin on nomme *silvaticus*, l'homme des bois), tout se passant comme si, à tort ou à raison, la vie urbaine était prise comme symbole de raffinement par rapport à la vie, censément plus

grossière, de la forêt ou de la brousse et comme si
pareille opposition entre deux modes de vie permettait de répartir le genre humain en deux catégories :
s'il est, dans certaines portions du globe, des peuples que leur genre de vie fait qualifier de « sauvages » il en est d'autres, dits « civilisés », qu'on se
représente comme plus évolués ou sophistiqués et
comme les détenteurs et propagateurs de culture par
excellence, ce qui les distinguerait radicalement des
sauvages, considérés comme encore tout proches de
l'état de nature.

Jusqu'à une époque récente l'homme d'Occident —
qui, avec le grand mouvement d'expansion coloniale
qu'inaugurent les découvertes maritimes de la fin du
XVe siècle, s'est implanté jusque dans les régions ter-
restres les plus éloignées de l'Europe et les plus différentes par le climat, instaurant au moins temporairement dans toutes ces régions sa domination politique et apportant avec lui des formes de culture qui
lui étaient propres — cédant à un égocentrisme assurément naïf (encore qu'il fût normal qu'il tirât quelque orgueil du développement impressionnant pris
chez lui par les techniques), s'est imaginé que la
Civilisation se confondait avec *sa* civilisation, la Culture avec la sienne propre (ou du moins celle qui dans
le monde occidental était l'apanage des classes les
plus aisées) et n'a cessé de regarder les peuples exotiques avec lesquels il entrait en contact pour exploiter leur pays, s'y approvisionner en produits étrangers à l'Europe, y trouver de nouveaux marchés ou

assurer simplement ses précédentes conquêtes, soit comme des « sauvages » incultes et abandonnés à leurs instincts, soit comme des « barbares », usage étant alors fait, pour désigner ceux qu'il considérait comme à demi civilisés quoique inférieur du terme que la Grèce antique appliquait péjorativement aux étrangers.

Qu'on assimile plus ou moins à des manières de bêtes fauves ces gens que l'on prétend dénués de culture ou qu'on prête au contraire un caractère édénique à leur vie considérée comme « primitive » et pas encore corrompue, le fait est que pour le plus grand nombre des Occidentaux il y a des hommes à l'état sauvage, des non-civilisés, qui représenteraient l'humanité à un stade répondant à ce qu'est l'enfance sur le plan de l'existence individuelle.

Grâce au prestige des monuments qu'elles ont laissés ou du seul fait de leurs relations avec le monde de l'antiquité classique (soit le monde gréco-romain) certaines grandes cultures — ou séries de cultures successives — que l'Orient a vues se développer ont, assez tôt, acquis droit de cité pour la pensée occidentale : celles qui ont eu pour théâtre le Proche-Orient (avec l'Egypte, la Palestine qui a laissé des livres saints en guise de monuments, et la Phénicie par exemple), le Moyen-Orient (avec l'Assyrie, la Chaldée, la Perse) avaient joui d'un rayonnement suffisant pour être classées très vite parmi les « civilisations » jugées dignes de ce nom. L'Inde, la Chine et le Japon, les grands Etats américains antérieurs à la

découverte du Nouveau Monde par Christophe Colomb n'ont pas tardé non plus à prendre rang et personne ne contesterait aujourd'hui qu'une place à tout
le moins fort honorable doit leur être accordée dans
une histoire générale de l'humanité. Mais il a fallu à
l'intelligence occidentale un temps beaucoup plus
long pour admettre que des peuples peu avancés au
point de vue technique et n'ayant pas d'écriture à
eux — comme c'est le cas, par exemple, de la majorité des noirs d'Afrique, des Mélanésiens et des Polynésiens, des actuels Indiens des deux Amériques et
des Esquimaux (bien qu'on puisse trouver chez telles
de ces populations l'emploi de la pictographie ou celui
de signes mnémoniques) — possèdent néanmoins
leur « civilisation », c'est-à-dire une culture qui même
si l'on envisage les groupes les plus humbles, s'est
révélée à un certain moment (en admettant qu'elle
ait perdu cette capacité ou qu'elle soit même en
régression) douée de quelque pouvoir d'expansion et
dont certains traits apparaissent comme communs à
plusieurs sociétés distribuées sur une aire géographique plus ou moins vaste.

Les connaissances que la science occidentale de ce
milieu du XX⁰ siècle possède en matière d'ethnographie, branche du savoir aujourd'hui constituée en
discipline méthodique, permettent d'affirmer qu'il
n'existe actuellement pas un seul groupe humain
qu'on puisse dire « à l'état de nature ». Pour en être
assuré, il suffit de prendre en considération un fait
aussi élémentaire que celui-ci : nulle part au monde

on ne trouve de peuple où le corps soit laissé à l'état
entièrement brut, exempt de tout vêtement, parure ou
rectification quelconque (sous la forme de tatouage,
scarification ou autre mutilation), comme s'il était
impossible — si diverses que soient les idées dans le
domaine de ce qu'en Occident on nomme la pudeur
— de s'accommoder de ce corps en le prenant tel
qu'il est de naissance. L'homme à l'état de nature est,
en vérité, une pure vue de l'esprit, car il se distingue
de l'animal précisément en tant qu'il possède une
culture, dont même les espèces que nous considérons
comme les plus proches de la nôtre sont privées, faute
d'une intelligence symbolique suffisamment développée pour que puissent être élaborés des systèmes de
signes tels que le langage articulé et fabriqués des
outils qui, valorisés comme tels, sont conservés pour
un usage répété. S'il n'est pas suffisant de dire de
l'homme qu'il est un *animal social* (car des espèces
très variées d'animaux vivent elles aussi en société),
il peut être défini comme un *être doué de culture,*
car, seul de tous les êtres vivants il met en jeu des
artifices tels que la parole et un certain outillage
dans ses rapports avec ses semblables et avec son
environnement.

Qu'est-ce que la culture ?

Comme chez les autres mammifères, l'ensemble du
comportement d'un individu se compose, chez

l'homme, de comportements instinctifs (qui font
partie de son équipement biologique), de comportements résultant de son expérience i ividuelle (liés à
cette partie de son histoire qui est la sienne propre) et de comportements qu'il a appris d'autres membres de son espèce ; mais chez l'homme, particulièrement apte à symboliser, c'est-à-dire à user des
choses en leur attribuant un sens conventionnel, il y
a pour l'expérience — ainsi plus aisément transmissible et, en quelque sorte, thésaurisable puisque la
totalité du savoir de chaque génération peut passer à
la suivante par le moyen du langage — possibilité de
s'ériger en « culture », héritage social distinct de
l'héritage biologique comme de l'acquis individuel et
qui n'est autre, suivant les termes de M. Ralph Lin-
ton, qu'un « ensemble organisé de comportements
appris et résultats de comportements, dont les éléments composants sont partagés et transmis par les
membres d'une société particulière » ou d'un groupe
particulier de sociétés.

Alors que la race est strictement affaire d'*hérédité,*
la culture est essentiellement affaire de *tradition,* au
sens large du terme : qu'une science, ou un système
religieux, soit formellement enseigné aux jeunes par
leurs éducateurs, qu'un usage se transmette d'une
génération à une autre génération, que certaines
manières de réagir soient empruntées sciemment ou
non par les cadets à leurs aînés, qu'une technique —
ou une mode — pratiquée dans un pays passe à un
autre pays, qu'une opinion se répande grâce à une

propagande ou bien en quelque sorte par elle-même au hasard des conversations, que l'emploi d'un quelconque engin ou produit soit adopté spontanément ou lancé par des moyens publicitaires, qu'une légende ou un bon mot circule de bouche en bouche, autant de phénomènes qui apparaissent comme indépendants de l'hérédité biologique et ont ceci de commun qu'ils consistent en la transmission — par la voie du langage, de l'image ou simplement de l'exemple — de traits dont l'ensemble, caractéristique de la façon de vivre d'un certain milieu, d'une certaine société ou d'un certain groupe de sociétés pour une époque d'une durée plus ou moins longue, n'est pas autre chose que la « culture » du milieu social en question.

Dans la mesure où la culture comprend tout ce qui est socialement hérité ou transmis, son domaine englobe les ordres de faits les plus différents : croyances, connaissances, sentiments, littérature (souvent si riche, alors sous forme orale, chez les peuples sans écriture) sont des éléments culturels, de même que le langage ou tout autre système de symboles (emblèmes religieux, par exemple) qui est leur véhicule ; règles de parenté, systèmes d'éducation, formes de gouvernement et tous les modes selon lesquels s'ordonnent les rapports sociaux sont culturels également ; gestes, attitudes corporelles, voire même expressions du visage, relèvent de la culture eux aussi, étant pour une large part choses socialement acquises, par voie d'éducation ou d'imitation ; types d'habitation ou de vêtements, outillage, objets fabriqués et objets d'art

— toujours traditionnels au moins à quelque degré
— représentent, entre autres éléments, la culture sous
son aspect matériel. Loin d'être limitée à ce qu'on
entend dans la conversation courante quand on dit
d'une personne qu'elle est — ou qu'elle n'est guère —
« cultivée » (c'est-à-dire pourvue d'une somme plus
ou moins riche et variée de connaissances dans les
principales branches des arts, des lettres et des
sciences tels qu'ils se sont constitués en Occident),
loin de s'identifier à cette « culture » de prestige qui
n'est que l'efflorescence d'un vaste ensemble par
lequel elle est conditionnée et dont elle n'est que
l'expression fragmentaire, la culture doit donc être
conçue comme comprenant, en vérité, tout cet ensemble plus ou moins cohérent d'idées, de mécanismes, d'institutions et d'objets qui orientent — explicitement ou implicitement — la conduite des membres d'un groupe donné. En ce sens, elle est étroitement liée à l'avenir aussi bien qu'à l'histoire passée
du groupe, puisqu'elle apparaît d'un côté comme le
produit de ses expériences (ce qui a été retenu des
réponses que les membres des générations précédentes ont apportées aux situations et problèmes divers
en face desquels ils se sont trouvés) et que d'un autre
côté elle offre à chaque génération montante une base
pour le futur (système de règles et de modèles de
conduite, de valeurs, de notions, de techniques, d'instruments, etc., à partir desquels s'organisent les actes
des nouveaux venus et que chacun reprendra, au
moins en partie, pour en user à sa manière et selon

ses moyens dans les situations qui lui seront particulières). Un tel ensemble ne peut par conséquent jamais se présenter comme défini une fois pour toutes mais est constamment sujet à des modifications, tantôt assez minimes ou assez lentes pour être presque imperceptibles ou passer longtemps inaperçues, tantôt d'une ampleur telle ou d'une rapidité si grande qu'elles prennent une allure de révolution.

Culture et personnalité

Du point de vue psychologique, la culture d'une société consiste en la totalité des façons de penser et de réagir et des modes de conduite accoutumés que les membres de cette société ont acquis par voie d'éducation ou d'imitation et qui leur sont plus ou moins communs.

Compte non tenu des particularités individuelles (qui, par définition, ne peuvent être considérées comme « culturelles » puisqu'elles ne sont pas le fait d'une collectivité), il est hors de question que tous les éléments constitutifs de la culture d'une même société puissent se retrouver chez tous les membres de cette société. S'il en est bien qu'on doit tenir pour généraux, il en est d'autres qui, par le jeu même de la division du travail (à laquelle n'échappe aucune des sociétés existantes, ne serait-ce que sous la forme de la répartition des occupations techniques et des fonctions sociales entre les deux sexes et les âges diffé-

rents), sont l'apanage de certaines catégories recon-
nues d'individus, d'autres encore qui sont le propre
de telle famille ou coterie ou bien, tels les goûts, opi-
nions, usage de certaines commodités ou certains
meubles, etc., sont simplement communs à un certain nombre de gens sans lien particulier entre eux.
Cette diffusion inégale des éléments de culture apparaît comme liée, de façon directe ou indirecte, à la
structure économique de la société et (en ce qui
concerne les sociétés où la division du travail est tant
soit peu poussée) à sa division en castes ou en classes.

Variable selon le groupe, le sous-groupe et, dans
une certaine mesure, le cercle familial, doué d'une
rigidité plus ou moins stricte et s'imposant de
manière plus ou moins coercitive suivant la nature
des éléments envisagés, la culture représente, à
l'échelon individuel, un facteur capital dans la constitution de la personnalité.

La personnalité s'identifiant objectivement à l'ensemble des activités et des attitudes psychologiques
propres à un individu — ensemble organisé en un
tout original qui exprime la *singularité* de cet individu à quelque type connu qu'on puisse le rattacher —
elle se trouve dans la dépendance de divers facteurs :
hérédité biologique, qui influe sur sa constitution physique, chacun étant par ailleurs pourvu congénitale-
ment d'un répertoire de comportements instinctifs ou
plutôt *non appris* (car il n'existe pas, à proprement
parler, d'« instincts » qui agiraient comme des forces) ; situations vécues par l'individu, sur le plan

privé aussi bien que professionnel ou public, autrement dit son histoire, depuis sa naissance jusqu'au
moment (éventuellement tardif) où on peut le considérer comme formé ; milieu culturel auquel il appartient et d'où il tire, par voie d'héritage social, une
part de ses comportements *appris.*

L'hérédité biologique exerce bien une influence sur
la personnalité de l'individu (dans la mesure où il lui
doit certaines des propriétés de son corps et où il
est, notamment, dans la dépendance de son système
nerveux et de ses glandes à sécrétions internes) mais
elle n'a guère de sens qu'envisagée sous l'angle de
l'ascendance familiale et non sous celui de la race ;
faute des renseignements voulus, même dans le cadre
du lignage, sur la constitution biologique de tous les
ascendants d'un individu donné nous ne savons, de
toute manière, que peu de chose sur ce qu'il peut
tenir de son hérédité. D'autre part, il est certain que
tous les hommes normaux, à quelque race qu'ils
appartiennent, possèdent le même équipement général de comportements non appris (l'examen du comportement infantile faisant ressortir la similitude des
réponses initiales et montrant comment les différences ultérieures de comportement s'expliquent par
les différences de structure individuelle et par celles
du premier apprentissage), de sorte que ce n'est pas
au niveau des prétendus « instincts » qu'apparaissent
les caractères différentiels entre personnalités diverses.
Il faut se représenter également que ces comportements non appris se réduisent aux réflexes fonda-

mentaux, alors qu'on est généralement porté à éten-
dre leur domaine d'une manière abusive, voyant des
manifestations de l'instinct dans des actes qui sont, en
vérité, le résultat d'habitudes ne procédant d'aucun
dressage concerté mais prises d'assez bonne heure
pour qu'on s'imagine être en présence de quelque
chose d'inné.

S'il existe indiscutablement, en dehors des différences individuelles, des différences qu'on peut tenir pour
plus ou moins spécifiques des membres d'une société
donnée par rapport à ceux des autres sociétés, c'est
dans le domaine des comportements appris que pourront être observées de telles différences et ces différences seront, par définition, culturelles.

Pour mesurer l'importance du facteur que représente la civilisation dans la constitution de la personnalité, il suffit de considérer que la culture n'intervient pas seulement comme héritage transmis par le
moyen de l'éducation mais qu'elle conditionne l'expérience entière. C'est, en effet, dans un certain environnement physique (soit le milieu biogéographique)
et dans un certain environnement social que l'individu vient au monde. Or l'environnement physique
lui-même n'est pas un environnement « naturel »
mais, dans une mesure d'ailleurs variable, un environnement « culturel » : l'habitat d'un groupe
donné a toujours été plus ou moins façonné
par ce groupe s'il s'agit d'un groupe séden-
taire (pratiquant, par exemple, l'agriculture ou menant une vie urbaine), et même dans le cas où le

groupe est nomade des éléments artificiels, tels la tente ou la hutte, entreront pour une part dans le décor de sa vie ; de plus, ce n'est pas de façon immédiate mais à travers la culture (les connaissances, croyances et activités) du groupe que s'établissent les rapports entre l'individu et les éléments, artificiels ou non, de son environnement. Quant à l'environnement social, il joue à un double titre : de manière directe, par les modèles que fournissent au nouveau venu les comportements des autres membres de la société à laquelle il appartient et par l'espèce d'encyclopédie abrégée que représente le langage, en lequel a cristallisé toute l'expérience passée du groupe ; de manière indirecte, vu que les divers personnages (par exemple, parents) qui interviennent dans l'histoire de l'individu dès sa première enfance — phase cruciale, par laquelle sera marqué tout le développement ultérieur — sont eux-mêmes influencés dans leur personnalité et dans leur conduite à son égard par la culture en question.

Si forte est, d'une manière générale, l'emprise de la culture sur l'individu que même la satisfaction de ses besoins les plus élémentaires — ceux qu'on peut qualifier de biologiques parce que les hommes les partagent avec les autres mammifères : nutrition, par exemple, protection et reproduction — n'échappe jamais aux règles imposées par l'usage, sauf circonstances exceptionnelles : un Occidental, s'il s'agit d'un individu normal, ne mangera pas de chien à moins d'être menacé de mourir de faim et, en revanche, beaucoup de peuples n'auraient que du dégoût pour certains mets dont nous nous régalons ; un homme quel qu'il soit s'habillera selon son rang (ou bien selon le rang qu'il voudrait faire passer pour le sien) et la coutume — ou mode — en l'occurrence primera souvent les considérations pratiques ; dans nulle société, enfin, le commerce sexuel n'est libre et il existe partout des règles — variables d'une culture à une autre culture — pour proscrire certaines unions que les membres de la société envisagée regardent comme incestueuses et, de ce fait, comme constituant des crimes. Notons aussi qu'un homme est dans la dépendance, au moins partielle, de sa culture même là où il peut sembler être le plus dégagé de toute contingence sociale : dans le rêve, par exemple, qui n'est pas le produit d'une fantaisie gratuite comme on l'a cru longtemps mais exprime, avec un matériel d'images tirées directement ou indirectement de l'environnement culturel, des préoccupations ou des conflits variables eux-mêmes en fonction des cultures. La culture intervient donc à tous les niveaux de l'existence individuelle et se manifeste aussi bien dans la façon dont l'homme satisfait ses besoins physiques que dans sa vie intellectuelle et dans ses impératifs moraux.

Il résulte de tout ceci que, s'il reste bien entendu que tous les individus ne naissent pas également doués au point de vue psychologique, leur appartenance à tel ou tel groupe ethnique ne permet pas de préjuger les aptitudes diverses qu'ils pourront présenter, alors qu'inversement le milieu culturel est un élément de premier plan, non seulement parce que dépendent de lui le contenu et la forme de l'éducation dispensée à l'individu envisagé, mais parce qu'il représente à proprement parler le « milieu » au sein duquel et en fonction duquel cet individu réagit. Gageons qu'un enfant africain, par exemple, que des blancs prendraient en charge dès sa venue au monde et élèveraient comme leur propre enfant ne présenterait avec des enfants du même sexe issus de ces mêmes blancs nulle différence psychologique notable due à son origine, s'exprimerait dans la même langue avec le même accent, serait nanti d'un bagage similaire d'idées, de sentiments et d'habitudes et ne s'écarterait de ses frères ou sœurs d'adoption que dans la mesure normale où un groupe social quelconque, si grandes et nombreuses que puissent être les analogies entre les individus qui le composent, n'est point, pour autant, uniforme. Il faut noter, toutefois, qu'il s'agit là d'une vue théorique car l'individu en question, même si sa famille d'adoption était exempte de toute espèce de préjugé racial, se trouverait (ne serait-ce que par le fait de sa singularité extérieure) dans une situation distincte, en vérité, de celle des autres enfants ; pour que l'expérience soit valable, il faudrait, en tout cas, pouvoir éliminer l'influence (d'orientation et d'importance non prévisibles) qu'aurait vraisemblablement sur l'individu ainsi adopté le fait d'être regardé comme différent des autres, sinon par son entourage immédiat, du moins par d'autres membres de la

société. On peut présumer que ce qui serait susceptible d'intervenir comme facteur particulier de différenciation serait, plutôt que la *race,* le *préjugé de race,*
qui suffit à créer pour ceux qui en sont l'objet —
même s'ils ne sont pas victimes d'une discrimination
positive — une situation sans commune mesure avec
la situation de ceux dont nulle idée préconçue ne peut
faire dire qu'ils ne sont pas « comme tout le monde ».

Comment vivent les cultures ?

S'identifiant à la façon de vivre propre à une certaine masse humaine à une certaine époque, une
culture, si lente que soit son évolution, ne peut jamais
être entièrement statique : puisqu'elle est inhérente (à
tout le moins tant qu'elle existe comme un tout organisé, reconnaissable en dépit de ses variations) à un
groupe en état de constant renouvellement par le jeu
même des morts et des naissances, puisque son champ
d'action est capable de s'accroître ou de diminuer
(c'est-à-dire d'intéresser un volume démographiquement plus ou moins important de familles, de clans,
de tribus ou de nations), qu'elle est représentée à
chaque moment de son histoire par un ensemble d'éléments socialement transmissibles (par voie d'héritage
ou d'emprunt) et qu'elle peut ainsi persister (non sans
rejets, additions, modifications ou refontes) à travers
les avatars du groupe variable qu'elle caractérise,
péricliter avec ce groupe lui-même ou tomber au

rebut, aussi bien que s'assimiler des éléments nouveaux, exporter certains de ses propres éléments, se
substituer plus ou moins à la culture d'un autre
groupe (par voie d'annexion politique ou par toute
autre voie) ou bien inversement s'intégrer à une
culture étrangère dans laquelle elle se fond (n'exis-
tant plus que par quelques-uns de ses traits, voire
même ne laissant aucune trace appéciable), la culture apparaît, essentiellement, comme un système
temporaire et doué d'une grande plasticité. Presque
partout, on peut entendre les anciens critiquer les
façons d'être des jeunes en les comparant à celles
du bon vieux temps, ce qui revient à reconnaître
explicitement ou implicitement qu'il y a quelque
chose de changé dans les mœurs et que la culture
de la société à laquelle ils appartiennent a évolué. De
tels changements peuvent s'opérer de deux façons :
innovation venant de l'intérieur de la société, sous
la forme d'une invention ou d'une découverte ;
innovation venant de l'extérieur sous la forme d'un
emprunt (spontané ou s'effectuant sous contrainte).

Qu'il s'agisse d'une invention (application inédite
de connaissances, de quelque ordre qu'elles soient)
ou d'une découverte (apport d'une nouvelle connaissance, scientifique ou autre), une telle innovation n'est
jamais absolument créatrice, en ce sens qu'elle ne
part pas de zéro : l'invention du métier à tisser mécanique non seulement impliquait la connaissance préalable de certaines lois et celle d'autres machines plus
simples, mais répondait à des besoins de l'industrie

européenne à un moment déterminé de son évolution ; la découverte de l'Amérique eût été impossible
sans la connaissance de la boussole et Christophe
Colomb n'aurait sans doute même pas eu l'idée de
son voyage si le besoin d'une route maritime pour
le trafic avec les Indes ne s'était fait sentir historiquement ; de même, dans le domaine esthétique, Phidias
ne peut se concevoir sans Polyclète ni la musique
populaire andalouse actuelle sans la musique arabe ;
un homme d'Etat tel que Solon, enfin, s'appuie sur
le peuple d'Athènes et sur des aspirations déjà existantes pour donner à ses concitoyens un statut nouveau qui ne faisait que codifier les situations respectives des diverses classes de la société athénienne de
son époque. Une invention, une découverte ou une
innovation quelconque ne peut donc pas être entièrement rapportée à un individu : certes, toutes les
civilisations ont bien leurs inventeurs ou autres nova-
teurs, mais — outre qu'une invention s'effectue par
étapes et non pas d'un seul coup (par exemple :
chaîne qui, en passant par des chaînons tels que la
« marmite » du Français Denis Papin et l'invention
de la machine à double effet par James Watt, va de
la « fontaine à vapeur » construite en 1663 près de
Londres par le marquis de Worcester, en application
d'une idée émise quelque cinquante ans auparavant
par le Français Salomon de Caus, jusqu'à la loco-
motive *The Rocket* expérimentée en 1814 par George
Stephenson) — inventions comme découvertes ne
sont jamais que modifications plus ou moins profon-

des, et d'une portée plus ou moins grande, surve-
nant après d'innombrables autres inventions et découvertes dans une culture qui est le fait d'une collectivité et qu'ont élaborée les hommes des générations
précédentes, innovant par eux-mêmes ou empruntant
à d'autres sociétés. Cela vaut aussi bien pour les innovations en matière de religion, de philosophie, d'art
ou de morale que pour celles qui intéressent les branches diverses de la science et de la technique. Les
grands fondateurs de religions (tels le Bouddha, Jésus
ou Mahomet) ne sont jamais que des réformateurs
procédant à la refonte plus ou moins complète d'une
religion préexistante ou de purs syncrétistes combi-
nant en un système inédit des éléments de provenances diverses ; de même, la réflexion philosophique
ou morale, dans une culture donnée, s'attache à des
problèmes traditionnels qu'on pose et qu'on résout
de manières différentes suivant les époques et sur
lesquels peuvent être émises, simultanément, des opi-
nions divergentes mais n'en relevant pas moins d'une
tradition, en ce sens que chaque penseur reprend toujours la question au point où l'a laissée un de ses pré-
décesseurs ; une œuvre littéraire ou plastique, elle
aussi, a toujours ses antécédents, pour révolutionnaire
qu'elle puisse paraître : les peintres cubistes, par
exemple, se sont réclamés de Paul Cézanne qui était
un impressionniste et ils ont trouvé dans la sculpture
négro-africaine, en même temps que certains enseignements, un précédent qui leur permettait de justifier la légitimité de leurs propres recherches ; dans

le domaine des relations sociales proprement dites,
le « non-conformiste » quel qu'il soit — il en est
chez tous les peuples et dans tous les milieux — s'ins-
pire généralement d'un précédent et, s'il innove, se
borne à reprendre en allant plus loin ou plus délibérément ce qui, chez d'autres, est demeuré plus ou
moins velléitaire. Une culture n'apparaît donc ni
comme le fait d'un « héros civilisateur » (ainsi que le
voudraient tant de mythologies) ni même comme
celui de quelques grands génies, inventeurs ou légis-
lateurs ; elle résulte d'une coopération. En un certain
sens, les plus anciens représentants de l'espèce humaine seraient, de tous les hommes, ceux qu'on pourrait le plus légitimement qualifier de « créateurs » ;
encore faut-il considérer qu'ils n'avaient pas derrière
eux le néant, mais l'exemple d'autres espèces.

D'une manière générale, les Occidentaux modernes s'émerveillent des inventions et découvertes qui
peuvent être portées à l'actif de leur civilisation et
s'imagineraient pour un peu qu'ils ont, dans ce domaine, un monopole. C'est oublier, d'une part, que
des trouvailles telles que la théorie einsteinienne de
la relativité ou la désintégration de l'atome viennent
au terme d'une longue évolution qui les a préparées
et, d'autre part, que maintes inventions aujourd'hui
dépassées et dues à des anonymes ont témoigné, en
leur temps et en leur lieu, d'un génie au moins égal
à celui des plus renommés de nos savants : les premiers Australiens, par exemple, qui fabriquèrent des
boomerangs capables de revenir vers leur point de

départ ne disposaient évidemment ni de laboratoires ni de services de recherche scientifique, mais ils n'en parvinrent pas moins à fabriquer ces engins, fort compliqués du point de vue balistique ; de même, les ancêtres des actuels Polynésiens, lorsqu'ils essaimèrent d'île en île sans boussole et avec pour seules embarcations leurs pirogues à balancier, accomplirent des performances qui ne le cèdent en rien à celles des Christophe Colomb et des grands navigateurs portugais.

Fécondité des contacts

Bien qu'aucune culture ne soit absolument figée il faut admettre que, là où se rencontre une forte densité de population, les conditions sont meilleures pour que la culture du groupe en question reçoive de nouveaux développements. La multiplicité des contacts entre individus différents est, pour chacun, une cause de vie intellectuelle plus intense. D'autre part, dans ces groupes plus nombreux et plus denses, il y a possibilité — comme le notait déjà Emile Durkheim, le fondateur de l'école sociologique française — d'une division du travail plus poussée ; cette spécialisation plus grande des tâches non seulement s'accompagne d'un perfectionnement des techniques, mais amène la répartition des membres de tels groupes en classes sociales distinctes, entre lesquelles ne manqueront pas de se produire des tensions ou des conflits (reposant sur des questions d'intérêt ou de prestige), ce qui entraînera tôt ou tard la modification des formes culturelles établies. Dans des sociétés de structure aussi complexe, chaque individu, d'une manière générale, se trouve en face de situations plus variées qui l'obligent, procédant à des innovations de conduite, à modifier les réponses traditionnelles pour les ajuster à ses expériences multiples.

De même, moins un peuple sera isolé et plus il aura d'ouvertures sur l'extérieur et d'occasions de contact avec d'autres peuples (dans la paix et dans la guerre elle-même, car la guerre, sans être à beaucoup près la plus souhaitable vu qu'il arrive fréquemment que la culture d'un peuple ne survive pas ou ne survive que par quelques débris à l'épreuve de la conquête militaire ou de l'oppression, représente néanmoins l'une des façons dont les peuples prennent contact), plus la culture de ce peuple aura de chances d'évoluer, s'enrichissant aussi bien par des emprunts directs qu'en raison d'une diversité plus grande d'expériences pour ses représentants et de la nécessité dans laquelle ils se trouvent de répondre à des situations inédites. Un bon exemple de stagnation culturelle causée par l'isolement est celui qu'offrent les Tasmaniens, qui, coupés du reste de l'humanité par la situation de leur île, en étaient encore du point de vue technique au niveau du paléolithique moyen lorsque les Anglais s'établirent chez eux au début du siècle dernier ; les Tasmaniens, il est vrai, furent loin de bénéficier de cette rupture de leur isolement car ils ont aujourd'hui totalement disparu, décimés peu à peu dans leurs luttes contre les colons. On doit en conclure que si le contact même guerrier est, en principe, un facteur d'évolution culturelle il est indispensable, pour qu'un tel contact soit fructueux, qu'il se produise entre peuples situés à des niveaux techniques qui ne soient pas trop différents (pour ne pas aboutir à l'extermination pure et simple d'un des deux partenaires ou à sa réduction en un état tel que l'esclavage, qui entraîne la pulvérisation de la culture traditionnelle) ; indispensable également que les moyens techniques mis en œuvre n'aient pas atteint un degré d'efficacité suffisant — comme c'est le cas, malheureusement, des grandes nations de notre monde moderne — pour que les adversaires ne sortent de leur conflit que ruinés, sinon détruits, les uns comme les autres.

Contacts entre individus et entre peuples, emprunts, utilisation d'éléments préexistants pour des combinaisons neuves, découvertes de situations et de choses ignorées apparaissent donc comme les moyens par lesquels, de l'intérieur ou de l'extérieur, une culture se transforme. Si grand est le rôle des emprunts (qui représentent une économie en ce sens qu'ils évitent à une société d'avoir à parcourir par elle-même toutes les étapes menant à l'invention qu'elle emprunte) qu'on peut dire des cultures — comme il a été établi pour les races — qu'elles ne sont jamais « pures » et qu'il n'en est pas une qui, dans son état actuel, ne résulte de la coopération de peuples différents. Cette civilisation dont les Occidentaux sont si fiers s'est édifiée grâce à de multiples apports dont beaucoup viennent de non-Européens : l'alphabet, par exemple, transmis d'abord aux Phéniciens par les groupes sémitiques voisins de la péninsule du Sinaï, est passé ensuite aux Grecs et aux Romains, puis s'est diffusé dans les parties plus septentrionales de l'Europe ; le système que nous employons pour la notation des nombres est d'origine arabe, de même que l'algèbre, et, d'autre part, savants et philosophes arabes ont joué un rôle important dans les diverses « renaissances » dont l'Europe médiévale a été le théâtre ; les premiers astronomes apparaissent en Chaldée et c'est dans l'Inde ou le Turkestan qu'est inventé l'acier ; le café est d'origine éthiopienne ; le thé, la porcelaine, la poudre à canon, la soie, le riz, la boussole nous viennent des Chinois, qui, d'autre part, connurent l'imprimerie bien avant Gutenberg et surent, très tôt, fabriquer du papier ; maïs, tabac, pomme de terre, quinquina, coca, vanille, cacao sont dus aux Indiens d'Amérique ; l'Egypte antique a fortement influencé la Grèce et, si le fameux « miracle grec » s'est produit, c'est très précisément parce que la Grèce a été un carrefour où se sont rencontrés maints peuples et cultures différents ; on ne saurait, enfin, oublier que les gravures et peintures rupestres des époques préhistoriques aurignacienne et magdalénienne (œuvres d'art les plus anciennes que l'on connaisse en Europe et dont il est permis de dire que leur beauté n'a pas été dépassée) furent l'œuvre

des hommes dits de la « race de Grimaldi », probablement apparentés aux actuels négroïdes — oublier,
non plus, que, dans une autre sphère esthétique, la
musique de jazz, dont le rôle est aujourd'hui si important dans nos loisirs, a été élaborée par les descendants des nègres africains amenés comme esclaves
aux Etats-Unis et auxquels ce même pays est par
ailleurs redevable — quoi qu'on puisse y penser de
ces nègres — de la littérature orale qui a servi de base
aux contes de *Uncle Remus,* ouvrage dont la renommée est internationale.

Race, histoire et différences culturelles

Si nombreux que soient les échanges qui, au cours
de l'histoire, se sont opérés entre cultures différentes,
et bien qu'aucune d'entre elles ne puisse être considérée comme exempte de tout mélange, le fait est
que de telles différences existent et qu'il est possible
de définir, dans l'espace et dans le temps, des cultures
douées chacune de sa physionomie : il y a eu, par
exemple, une culture germanique qu'a décrite Tacite
et à laquelle cet historien romain s'est intéressé
dans la mesure, précisément, où elle différait
de la culture latine ; de nos jours, les ethnographes
ont pour mission d'étudier des cultures passablement
éloignées de celle qui, à quelques variantes près, se
révèle commune à l'ensemble des nations du monde
occidental. Y aurait-il, entre race et civilisation, une

liaison de cause à effet et chacun des divers groupes
ethniques serait-il, en somme, prédisposé à l'élaboration de certaines formes culturelles ? Une telle
idée ne résiste pas à l'examen des faits et l'on peut
aujourd'hui tenir pour établi que les différences physiques héréditaires n'interviennent pas de manière
appréciable comme cause des différences de culture
observables entre les divers peuples ; ce sera, bien
plutôt, l'histoire de ces peuples (soit, pour chacun
d'entre eux, la somme de ses expériences successives,
vécues dans un certain enchaînement) qui devra, en
l'occurrence, être prise en considération.

On constate, tout d'abord, qu'une civilisation
donnée n'est pas le fait d'une race donnée mais qu'il
est normal, au contraire, qu'il y ait participation de
plusieurs races pour faire une civilisation. Soit, par
exemple, ce que nous appelons la « civilisation
égyptienne », c'est-à-dire un *continuum* de formes
culturelles qui a eu pour cadre l'Egypte depuis
l'époque néolithique (où le blé et la même orge
qu'aujourd'hui étaient déjà cultivés, dans la région
du Fayoum) jusqu'au IIIe siècle de notre ère, moment
où s'y diffusa le christianisme : dès l'âge de la pierre
polie, les sépultures révèlent l'existence en Egypte
d'une population kamitique à laquelle s'adjoint, dès
le début des époques dynastiques, une population de
type très différent ; compte non tenu des invasions
qu'elle a subies — celles des Hyksos (nomades qui
viennent d'Asie, au IIe millénaire av. J.-C. et intro-
duisent le cheval et le char de guerre), des Libyens

et des « peuples de la mer » (parmi lesquels figuraient peut-être les Achéens), des Assyriens, des Perses (au joug desquels les Egyptiens n'échappèrent que grâce à leur annexion par Alexandre en 332 av. J.-C., annexion qui les plaça dans l'orbite de la Grèce jusqu'à la défaite d'Antoine et Cléopâtre en 31 av. J.-C.) — l'Egypte a eu des relations étroites avec ses voisins du Proche-Orient, après une période vécue presque en vase clos. A travers tous les événements de son histoire (qui ne semblent pas avoir influencé notablement le type physique, fixé de très bonne heure, mais qui ont eu des conséquences culturelles), elle aura été le théâtre où évolua, sans trop d'à-coups, une civilisation dont l'oasis constituée par les rives du Nil (fertilisées grâce aux crues annuelles du fleuve) était le support matériel ; à l'époque hellénistique, Alexandrie, capitale des Ptolémées, a joui d'un éclat considérable lié à son caractère de ville cosmopolite, située au carrefour de l'Afrique, de l'Asie et de l'Europe. En Europe — on le constate de même — plusieurs races se sont succédé au cours de la préhistoire, et dès l'époque néolithique il existe, d'autre part, des courants commerciaux impliquant l'existence de véritables « relations culturelles » entre peuples différents. En Afrique équatoriale, on constate que les Pygmées eux-mêmes, dont les techniques alimentaires se bornent à la chasse et à la cueillette, vivent en une sorte de symbiose économique avec les nègres sédentaires dont ils sont les voisins (échangeant des produits de leur chasse contre des denrées agricoles produites par ces derniers) ; cet état de symbiose ne va pas sans conséquences dans d'autres domaines culturels et c'est ainsi que les divers groupes de Pygmées ont aujourd'hui pour langues celles des groupes de nègres cultivateurs avec lesquels ils sont liés par de telles relations.

S'il semble bien qu'on ne puisse observer nulle culture dont tous les éléments soient dus à une race unique, on constate de surcroît qu'aucune race n'est nécessairement attachée à une culture unique. On a vu, en effet, se produire des transformations sociales considérables qui ne coïncident nullement avec des altérations du type racial, et le Japon, à cet égard, avec la révolution qu'y a accomplie l'empereur Mutsu-Hito (1866-1912), n'est pas une exception. Les Mandchous, par exemple, rude tribu de nomades toungouses, après avoir conquis la Chine au milieu du XVIIIᵉ siècle, fournirent une dynastie qui régna glorieusement sur un pays dont la civilisation connut alors une de ses périodes les plus brillantes, ce même pays qui, après avoir renversé en 1912 la dynastie mandchoue et s'être constitué en république, est aujourd'hui en voie de socialisation. Lorsque après la mort de Mahomet (632) eut commencé l'expansion de l'islam, certains groupes arabes fondèrent de grands Etats et bâtirent des villes où les arts et les sciences devinrent florissants, alors que d'autres groupes restés en Arabie demeurèrent de simples pasteurs conduisant leurs troupeaux de pacage en pacage. L'histoire de l'Afrique noire (partie du monde alors pourtant handicapée par un relatif isolement, avant d'être bouleversée par les razzias des esclava- gistes musulmans, le trafic des négriers européens et, finalement, la conquête coloniale) nous apprend qu'à une époque contemporaine de notre moyen âge elle a connu des empires qui, tel celui de Ghana en Afrique occidentale, suscitèrent l'admiration des voyageurs arabes ; et l'on y trouve aujourd'hui — en Nigeria par exemple — de grandes villes dont la fondation est antérieure à l'occupation européenne alors que l'organisation politique de maintes tribus négro-africaines semble, en revanche, n'avoir jamais dépassé le cadre du village. Comment prétendre encore qu'à chaque race est lié un certain type de culture si l'on considère non seulement les noirs du continent africain mais ceux qui, au nombre de quelque trente-cinq millions, constituent aujourd'hui une partie de la population des deux Amériques et des Antilles ? Descendants d'Africains dont la transplantation et la dépossession d'eux-mêmes, entraînée par la terrible condition d'esclave, avaient bouleversé la culture de fond en comble, ils ont réussi à s'adapter à un milieu culturel pourtant très différent de celui dans lequel leurs ancêtres s'étaient formés et à fournir en bien des cas (malgré la force du préjugé dont ils sont les victimes) une contribution importante à la vie comme au rayonnement de cette civilisation dont les Occidentaux croyaient être les représentants sans rivaux : pour s'en tenir au domaine littéraire, il suffira de citer Aimé Césaire, nègre de la Martinique, actuellement l'un des plus grands poètes français, et Richard Wright, nègre du Mississippi, qu'on peut regarder comme un des plus talentueux parmi les romanciers américains.

L'histoire de l'Europe nous démontre, elle aussi, combien les peuples sont capables de changer dans leurs mœurs sans que leur composition raciale se soit modifiée sensiblement et combien, par conséquent, le « caractère national » est fluide. Qui reconnaîtrait, par exemple, dans les tranquilles fermiers scandinaves de notre temps des descendants de ces Vikings redoutés qui, au IXe siècle, déferlèrent par voie de mer sur une grande partie de l'Europe ? Et quel Français verrait des compatriotes dans les contemporains de Charles Martel, le vainqueur des Arabes à Poitiers (732), si la tradition nationale telle qu'elle se traduit aujourd'hui dans les enseignements de l'école ne lui avait appris à les tenir pour tels ? Il convient de rappeler également que, lorsque Jules César aborda sur les côtes de la Grande-Bretagne (52 av. J.-C.), les Bretons faisaient à tel point figure de barbares que Cicéron, dans une lettre à son ami Atticus, lui déconseille de s'en procurer comme esclaves « tant ils sont stupides et incapables d'apprendre » ; et l'on ne saurait oublier, d'autre part, qu'après l'effondrement de l'Empire romain il fallut des siècles aux Européens pour être à même de constituer des Etats solidement organisés et militairement puissants : durant tout le moyen âge — qu'il est d'usage de faire se terminer en 1453,

date de l'écroulement définitif de l'Empire byzantin
avec la prise de Constantinople par Mahomet II —
l'Europe doit se défendre tantôt contre des peuples
mongoloïdes tels que les Huns (qui allèrent presque
jusqu'à l'Atlantique), les Avars, les Magyars (qui
s'établirent en Hongrie) et les Turcs (à qui une
partie de l'Europe sud-orientale fut assujettie pendant des siècles), tantôt contre les Arabes (qui, après
avoir conquis l'Afrique du Nord, s'installèrent temporairement en Espagne et dans les îles de la Méditerranée). A cette époque, il eût été difficile de
prévoir que les Européens seraient, un jour, des
fondateurs d'empires.

Des exemples analogues de variabilité dans les
aptitudes d'une même nation nous sont offerts par
l'histoire des beaux-arts, où l'on voit tel pays briller
un certain temps dans la musique, les arts plastiques
ou l'architecture, puis, au moins pour plusieurs
siècles, ne plus rien produire de marquant. Dira-t-on
que c'est par suite de changements dans la répartition des gènes que les capacités en matière de
beaux-arts sont sujettes à de telles fluctuations ?

Il est donc vain de chercher dans les données
biologiques relatives à la race une explication des
différences que l'on constate entre les réalisations
culturelles auxquelles sont arrivés les divers peuples.
Mais la recherche de cette explication dans les
conditions, par exemple, de l'habitat est à peine
moins décevante : s'il est, en effet, des Indiens en
Amérique du Nord qui présentent un type physique

très uniforme en même temps que des types culturels bien distincts (tels les Apaches guerriers du Sud-Ouest, identiques racialement aux beaucoup plus paisibles Pueblos), on constate également qu'un climat déterminé n'impose pas un genre défini d'habitation et de vêtement (en zone soudanaise africaine on trouve, par exemple, des types très divers de maisons et des populations à peu près nues à côté de populations très habillées). La vie d'un groupe est, certes, dans la dépendance de son milieu biogéographique : il ne saurait être question d'agriculture dans les régions arctiques, non plus que de grand élevage dans une bonne partie de l'Afrique tant qu'y sévira la mouche tsé-tsé, ennemie du gros bétail ; il est certain, en outre, qu'un climat tempéré est, en règle générale, plus favorable qu'un climat extrême à l'établissement humain et au développement démographique. Toutefois, de conditions biogéographiques similaires, des techniques différentes permettent de tirer des partis différents ; en Asie tropicale, par exemple, la pratique traditionnelle de la rizière inondée (comme le fait remarquer M. Pierre Gourou) a permis depuis longtemps des peuplements très denses, alors que la pauvreté et l'instabilité des sols s'y sont opposées presque partout en zone tropicale, là où sont pratiquées les cultures sèches sur brûlis. C'est donc plutôt par la considération de ce qu'a été l'*histoire* des différents peuples que par celle de leur actuelle situation géographique que trouverait à s'expliquer leur diversité culturelle : connaissances

acquises dans les milieux différents qu'ils ont tra-
versés au cours des pérégrinations (souvent longues
et compliquées) qui ont précédé leur installation
dans les aires où nous les voyons aujourd'hui, état
d'isolement plus ou moins grand dans lequel ils ont
vécu ou bien, inversement, contacts qu'ils ont eus
avec d'autres peuples et possibilités d'emprunts à des
cultures différentes, tels sont les facteurs — tous
liés directement à l'histoire de ces peuples — qui
semblent jouer un rôle prépondérant.

« L'histoire de l'humanité, écrit Franz Boas,
prouve que les progrès de la culture dépendent des
occasions offertes à un groupe donné de tirer un
enseignement de l'expérience de ses voisins. Les
découvertes d'un groupe s'étendent à d'autres groupes
et, plus variés sont les contacts, plus grandes sont
les occasions d'apprendre. Les tribus dont la culture
est la plus simple sont, dans l'ensemble, celles qui
ont été isolées pendant de très longues périodes,
de sorte qu'elles n'ont pas pu profiter de ce que
leurs voisins avaient accompli en matière de culture. »

La fortune culturelle des peuples européens — dont
il ne faut pas oublier que l'expansion outre-mer est
un phénomène très récent et limité aujourd'hui par
l'évolution même des peuples sur lesquels leurs techniques représentaient une avance — est liée au fait
que ces populations se sont trouvées en mesure
d'avoir de nombreuses relations, entre elles comme
avec des populations différentes : les Romains, qu'on
peut regarder comme les fondateurs du premier

grand Etat qui se soit constitué en Europe, ont imité
les Asiatiques en bâtissant cet empire, et l'Empire
byzantin, seul successeur durable de l'Empire romain,
devait plus à la Perse qu'à Rome quant à la façon
dont il était organisé administrativement. L'isolement
relatif dans lequel ont vécu si longtemps les Africains
doit être, inversement, une raison d'admirer que
malgré ces conditions défavorables ils aient pu constituer, dès avant le XVᵉ siècle, un Etat tel que le
Bénin (royaume prospère où l'art du bronze et celui
de l'ivoire ont produit des œuvres si remarquables,
qu'on les attribua longtemps à l'influence portugaise
et qu'ils aient su, au XVIᵉ siècle, faire de Tom-
bouctou, capitale de l'Empire songhaï, l'un des
principaux foyers intellectuels du monde musulman ;
pour l'Afrique comme pour d'autres parties du
monde il est regrettable, certes, que l'expansion
rapide des Européens, à une époque où ceux-ci
disposaient de moyens matériels sans commune
mesure avec ceux des autres peuples, ait purement
et simplement tué dans l'œuf — en les écrasant
de leur masse — maintes cultures dont nul ne peut
savoir quels n'auraient pas été les développements.

Les cultures peuvent-elles être hiérarchisées ?

La culture des différents peuples reflète, essentiellement, leur passé historique et varie dans les limites
mêmes où leurs expériences ont été différentes. De
même que pour l'individu, c'est *l'acquis* beaucoup

plus que l'*inné* qui compte pour les peuples ; de la diversité des expériences résultant des acquis divers, le monde est maintenant peuplé de groupes humains culturellement fort différents et pour chacun desquels certaines préoccupations dominantes peuvent être regardées comme représentant (suivant l'expression de M. J. Herskovits) le point focal de sa culture.

Ce à quoi une société s'intéresse et qu'elle regarde comme important peut différer totalement de ce qu'une autre société fait passer au premier plan : les Hindous ont donné un grand développement aux techniques de maîtrise de soi et de méditation mais n'ont porté jusqu'à une époque récente qu'un très faible intérêt à ces techniques matérielles vers le perfectionnement desquelles nos contemporains américains et européens font tendre leur effort alors qu'ils ne sont guère enclins, dans l'ensemble, à la spéculation métaphysique et, moins encore, à l'exercice de la philosophie ; au Tibet, la vie monacale a toujours pris le pas sur la vie militaire, dont l'importance pour nous est devenue si tragique ; si l'élevage est à tel point valorisé chez maints nègres kamitisés de l'Afrique orientale que le bétail est pour eux un trésor plus qu'un moyen de subsistance et qu'on voit, par exemple, le peuple banioro divisé en deux classes dont la plus haute pratique l'élevage et la plus basse l'agriculture, maints groupes de cultivateurs noirs de l'Afrique occidentale font garder leurs troupeaux par des Peuls qu'ils méprisent. L'existence de pareilles spécialisations culturelles

doit inciter à la prudence quand il s'agit de porter
un jugement de valeur sur une civilisation ; il n'en
est pas une seule qu'on ne puisse trouver déficiente à
certains égards alors que sur d'autres points elle a
atteint un haut degré de développement ou, à
l'examen, se révèle plus complexe que ne le laissait
supposer l'apparente simplicité de l'ensemble ; les
Indiens précolombiens, qui ne faisaient usage d'aucun
animal de trait et ne connaissaient ni la roue ni le
fer, n'en ont pas moins laissé des monuments grandioses qui témoignent d'une organisation sociale très
avancée et comptent parmi les plus beaux que les
hommes aient construits ; parmi ces précolombiens
figuraient les Mayas, qui ont inventé le zéro indé-
pendamment des Arabes ; les Chinois — dont nul
ne contestera qu'ils ont élaboré une grande civilisation — sont demeurés longtemps sans employer
pour l'agriculture le fumier de leurs animaux, ni leur
lait pour l'alimentation ; les Polynésiens, techniquement à l'âge de la pierre polie, ont conçu une
mythologie très riche ; aux nègres, qu'on croyait
bons tout au plus à fournir en main-d'œuvre servile
les plantations du Nouveau Monde, nous sommes
redevables d'un apport considérable dans le domaine
artistique, et c'est, d'autre part, en Afrique que le
gros mil et le petit mil, céréales qui depuis se sont
répandues en Asie, ont été pour la première fois
cultivées ; les Australiens eux-mêmes, dont les techniques sont des plus rudimentaires, appliquent des
règles de mariage répondant à un système de parenté

d'une subtilité extrême ; si évoluée soit-elle du point
de vue technique notre propre civilisation, en revanche, est déficiente sur bien des points comme le
montre — sans même parler des problèmes sociaux
que les pays occidentaux n'ont pas encore résolus ni
des guerres dans lesquelles ils s'engagent périodi-
quement — un fait tel que le nombre élevé d'ina-
daptés qui se rencontrent en Occident.

En vérité, on peut dire de presque toutes les cultures qu'elles ont respectivement leurs échecs et leurs
réussites, leurs défauts et leurs vertus. La langue
elle-même, instrument et condition de la pensée, ne
peut servir à établir une hiérarchie entre elles : on
trouve, par exemple, des formes grammaticales très
riches dans les parlers de peuples sans écriture et
regardés comme « non civilisés ». Il serait vain également de juger d'une culture en prenant pour critère
nos propres impératifs moraux car — outre que
notre morale n'est trop souvent que théorique — bien
des sociétés exotiques se montrent à certains égards
plus humaines que les nôtres : le grand africaniste
Maurice Delafosse fait observer, par exemple, que
« dans les sociétés négro-africaines, il n'y a ni veuves
ni orphelins, les unes et les autres étant nécessairement à la charge soit de leur famille soit de l'héri-
tier du mari » ; d'autre part, il est des civilisations en
Sibérie et ailleurs où celui dont nous nous écarterions
comme d'un anormal est regardé comme inspiré par
les dieux et, de ce fait, trouve sa place dans la vie
sociale. Les hommes qui diffèrent de nous par la

culture ne sont ni plus ni moins moraux que nous ; chaque société possède son idéal moral selon lequel elle distingue ses bons et ses méchants et l'on ne peut, assurément, juger de la moralité d'une culture (ou d'une race) d'après le comportement, parfois blâmable à notre point de vue, de tels de ses représentants dans les conditions très spéciales que crée pour eux le fait d'être assujettis au régime colonial ou brusquement transplantés dans un autre pays comme travailleurs (qui mèneront, dans la majorité des cas, une existence misérable) ou bien à titre militaire. On ne saurait, enfin, retenir l'argument de tels anthropologues qui taxent certains peuples d'infériorité sous prétexte qu'ils n'ont pas produit de « grands hommes » : outre qu'il faudrait s'entendre, au préalable, sur ce qu'est un « grand homme » (un conquérant dont les victimes sont innombrables ? un grand savant, artiste, philosophe ou poète ? un fondateur de religion ? un grand saint ?), il est bien évident que, le propre d'un « grand homme » étant de se voir reconnu tôt ou tard par un large milieu social, il est impossible par définition qu'une société isolée ait produit ce que nous appelons un « grand homme ». Mais il faut souligner que même dans les régions demeurées longtemps isolées — en Afrique et en Polynésie, par exemple — de fortes personnalités se sont révélées : l'empereur mandingue Gongo Moussa (qui, au XIVe siècle, aurait introduit le type d'architecture qui est resté celui des mosquées et des maisons riches du Soudan occidental), le conquérant

zoulou Tchaka (dont la vie a fourni, vers la fin du
siècle dernier, à l'écrivain southo Thomas Mofolo
la matière d'une admirable épopée rédigée dans sa
langue maternelle), le prophète libérien Harris (qui
prêcha en Côte-d'Ivoire, en 1913-1914, un christianisme syncrétique), le roi de Thonga Finau, celui de
Honolulu Kamehameha (contemporain de Cook) et
bien d'autres encore ne doivent peut-être qu'à leur
milieu culturel trop fermé et démographiquement
trop étroit de n'avoir pas été reconnus — question
de quantité et non de qualité — par une masse suffisante pour être de « grands hommes » d'envergure
comparable à celle de nos Alexandre, de nos Plu-
tarque, de nos Luther ou de nos Roi-Soleil. On ne
peut nier, en outre, que même des techniques très
humbles impliquent une grande somme de savoir et
d'habileté et que l'élaboration d'une culture tant soit
peu adaptée à son milieu, si rudimentaire soit-elle, ne
serait pas concevable s'il ne s'était jamais produit
dans la collectivité envisagée que des intelligences
médiocres.

Nos idées sur la culture étant elles-mêmes partie
intégrante d'une culture (celle de la société à laquelle
nous appartenons), il nous est impossible de prendre
la position d'observateurs extérieurs qui, seule, pourrait permettre d'établir une hiérarchie valable entre
les diverses cultures : les jugements en cette matière
sont nécessairement relatifs, affaire de point de vue,
et tel Africain, Indien ou Océanien serait tout aussi
fondé à juger sévèrement l'ignorance de la plupart

d'entre nous en fait de généalogie que nous sa méconnaissance des lois de l'électricité ou du principe d'Archimède. Ce que, toutefois, il est permis d'affirmer comme un fait positif, c'est qu'il est des civilisations qui, à un moment donné de l'histoire, se trouvent douées de moyens techniques assez perfectionnés pour que le rapport des forces joue en leur faveur et qu'elles tendent à supplanter les autres civilisations, moins équipées techniquement, avec lesquelles elles entrent en contact ; c'est le cas aujourd'hui pour la civilisation occidentale, dont on voit — quelles que soient les difficultés politiques et les antagonismes des nations qui la représentent — l'expansion s'exercer à une échelle mondiale, ne serait-ce que sous la forme de la diffusion des produits de son industrie. Cette capacité d'expansion à base techno-scientifique apparaît finalement comme le critère décisif permettant d'attribuer à chaque civilisation plus ou moins de « grandeur » ; mais il est entendu que ce mot ne doit être pris qu'en un sens si l'on peut dire, volumétrique et que c'est, d'ailleurs, d'un point de vue strictement pragmatique (c'est-à-dire en fonction de l'efficacité de ses recettes) qu'on peut apprécier la valeur d'une science, la regarder comme vivante ou morte et la distinguer d'une magie : si la méthode expérimentale — dans l'emploi de laquelle excellent les Occidentaux et occidentalisés d'aujourd'hui — représente un progrès indiscutable sur les méthodes aprioristes et empiristes c'est, essentiellement, dans la mesure où ses résultats (à l'in-

verse de ce qui en est pour ces autres méthodes)
peuvent être le point de départ de nouveaux développements susceptibles, à leur tour, d'applications
pratiques. Il est entendu, en outre, que, les sciences
dans leur ensemble étant le produit d'innombrables
démarches et processus divers auxquels toutes les
races ont contribué depuis des millénaires, elles ne
peuvent en aucune manière être regardées par les
hommes à peau blanche comme leur apanage exclu-
sif et le signe, en eux, d'une aptitude qui leur serait
congénitale.

Ces réserves expressément formulées, on peut souligner l'importance capitale que la technologie (soit
les moyens d'agir sur l'environnement naturel) a non
seulement pour la vie même des sociétés, mais pour
leur développement. Les grandes étapes de l'histoire
de l'humanité sont marquées par des progrès techniques qui ont eu de profondes répercussions sur tous
les autres domaines culturels : fabrication d'outils et
usage du feu, à l'aube des temps préhistoriques et
avant même l'*Homo sapiens* ; production de nourri-
ture grâce à la domestication des plantes et des
animaux, ce qui a permis des peuplements plus denses
et a amené des groupes humains à s'établir en villages
(qui représentaient une transformation notable de
l'environnement naturel) et, la spécialisation des
tâches croissant, à développer des artisanats, tout
cela impliquant un élargissement économique qui
donnait une marge suffisante pour des développements considérables dans d'autres branches ; pro-

duction de la force, qui marque le début de l'époque moderne. Si les premières civilisations de quelque envergure, fondées sur l'agriculture, ont été confinées aux zones que fertilisaient de grands fleuves (Nil, Euphrate et Tigre, Indus, Gange, fleuve Bleu et fleuve Jaune), des civilisations commerçantes se sont ensuite appuyées sur des mers intérieures ou des mers aux terres nombreuses (Phéniciens, Grecs et Romains avec la Méditerranée, Malais avec les mers de l'Insulinde), puis des civilisations fondées sur la grande industrie ont trouvé leurs centres vitaux dans les gisements de charbon de l'Europe, de l'Amérique du Nord et de l'Asie en même temps que l'aire des échanges devenait planétaire ; nul ne sait, depuis que nous sommes entrés dans l'âge atomique, en quels points de la terre seront situés bientôt — sauf conflagration destructrice — les principaux foyers de production ni si les grandes civilisations futures ne prendront pas pour cadre des régions qui nous apparaissent aujourd'hui comme déshéritées et où vivent des hommes dont le seul tort est d'appartenir à des cultures moins armées que la nôtre, ayant moins de possibilités d'action sur le milieu naturel mais, en revanche, jouissant peut-être d'un meilleur équilibre au point de vue des relations sociales.

IL N'Y A PAS DE RÉPULSION RACIALE INNÉE

Les différences qu'on peut observer dans le physique des hommes appartenant aux diverses races — différences dont il ne faut pas oublier que les seules qu'aient pu, jusqu'à présent, retenir les anthropologues comme moyens pratiques de discrimination portent sur des traits superficiels : couleur de la peau, couleur et forme des yeux et des cheveux, forme du crâne, des lèvres et du nez, stature, etc. — n'autorisent pas à préjuger l'existence de manières d'être et d'agir propres aux membres de chacune des variétés humaines : dès qu'on abandonne le terrain de la biologie pure, le mot « race » perd toute espèce de signification. Par-delà la division politique en nationalités, on peut à n'en pas douter répartir les hommes en groupes caractérisés par une certaine communauté de comportement, mais c'est en fonction des « cultures » diverses — autrement dit, en se plaçant au point de vue de l'histoire des civilisations — qu'on peut constituer de pareils groupes, qui ne coïncident pas avec les groupes établis à partir de similitudes dans l'apparence corporelle et ne peuvent pas être ordonnés selon une hiérarchie fondée sur autre chose que des considérations pragmatiques dénuées de toute valeur absolue puisque nécessairement liées à notre propre système culturel ; hiérarchie qui ne vaut, au demeurant, que pour un

temps donné, les cultures encore plus que les races
étant douées de mobilité et tel peuple étant capable
d'une évolution culturelle très rapide après de longs
siècles de quasi-stagnation. On peut se demander,
dans de telles conditions, d'où vient ce préjugé qui
fait tenir certains groupes humains pour inférieurs
en raison d'une composition raciale qui les handica-
perait irrémédiablement.

La première constatation à laquelle on est amené
par l'examen des données que nous fournissent l'ethnographie et l'histoire, c'est que le préjugé racial n'a
rien de général et que son origine est récente. Certes,
dans mainte société qui entre dans le champ d'étude
des ethnographes, il existe un orgueil de groupe ;
mais ce groupe, s'il se tient pour privilégié par
rapport aux autres groupes, ne se pose pas comme
une « race » et ne dédaigne pas, par exemple, de se
fournir en femmes parmi les autres groupes ou de
sceller avec eux des alliances occasionnelles ; beaucoup plus que le « sang », ce qui fait son unité ce
sont les morts communs et les activités diverses
menées en association. Dans la majorité des cas, ce
groupe n'est même pas, en vérité, une « race »
— tout au plus une fraction de race, en l'admettant
très isolé — et représente simplement une société
dont l'antagonisme avec les autres sociétés, qu'il soit
de tradition ou lié à des intérêts circonstantiels, n'est
pas d'ordre biologique mais purement culturel. Ceux
que les Grecs qualifiaient de « barbares » n'étaient
pas regardés comme inférieurs racialement mais

comme n'ayant pas atteint le même niveau de civilisation que les Grecs ; Alexandre épousa lui-même deux princesses persanes et dix mille de ses soldats se marièrent avec des Hindoues. L'Empire romain fut soucieux surtout de lever des tributs sur les peuples subjugués et — ne poursuivant pas les mêmes buts d'exploitation systématisée de la terre et des hommes que les impérialismes plus récents — n'eut aucune raison de pratiquer à leur égard la discrimination raciale. La religion chrétienne prêcha la fraternité humaine et s'il lui arriva, trop souvent, de manquer à ce principe elle n'élabora jamais d'idéologie raciste : des croisades furent menées contre les « infidèles », l'Inquisition persécuta les hérétiques et les juifs, catholiques et protestants s'entre-déchirèrent, mais ce furent toujours des motifs religieux et non des motifs raciaux qui furent mis en avant. Le tableau ne change que lorsque s'ouvre la période d'expansion coloniale des peuples européens et qu'il faut bien trouver une justification à tant de violences et d'oppression, décréter inférieurs ceux dont — peu chrétiennement — on faisait des esclaves ou dont on exploitait le pays, et mettre au ban de l'humanité (opération facile, vu les mœurs différentes et l'espèce de stigmate que représentait la couleur) les populations frustrées.

Les racines économiques et sociales du préjugé de race apparaissent très clairement si l'on considère que le premier grand doctrinaire du racisme, le comte de Gobineau, déclare lui-même avoir écrit son trop fameux *Essai* pour lutter contre le libéralisme : il s'agissait pour lui, qui appartenait à la noblesse, de défendre l'aristocratie européenne menacée dans ses intérêts de caste par le flot montant des démocrates, et c'est pourquoi il fit des aristocrates les représentants d'une race prétendue supérieure, qu'il qualifia d'« aryenne » et à l'aquelle il assigna une mission civilisatrice. Des anthropologues comme les Français Broca et Vacher de Lapouge et l'Allemand Ammon s'efforcèrent également d'établir, par le moyen de l'anthropométrie, que la différenciation sociale des classes reposait sur des différences raciales (et, par conséquent, était fondée dans la nature des choses) ; mais l'extraordinaire brassage des groupes humains qui, dès la préhistoire, s'est produit en Europe comme dans le reste du monde, joint aux mouvements incessants de population dont les pays de l'Europe moderne sont le théâtre, suffit à démontrer l'inanité de pareille intention. Plus tard, le racisme a revêtu les aspects virulents que l'on sait et a pris, en Allemagne notamment, la forme nationaliste sans cesser d'être, dans son essence, une idéologie tendant à instituer ou perpétuer des castes au bénéfice économique et politique d'une fraction — qu'il s'agisse de renforcer l'unité d'une nation posée en « race de seigneurs », d'inculquer à des colonisés le sentiment qu'ils sont irrémédiablement inférieurs à leurs colonisateurs, d'empêcher l'ascension sociale d'une partie de la population à l'intérieur d'un pays, d'éliminer des concurrents sur le terrain professionnel ou bien de neutraliser le mécontentement populaire en lui fournissant un bonc émissaire qu'on dépouillera par la même occasion. C'est avec une amère ironie qu'on observera que le développement du racisme s'est effectué parallèlement à celui de l'idéal démocratique, quand il a fallu recourir au prestige nouvellement acquis de la science pour rassurer les consciences chaque fois que, de façon trop criante, on violait ou refusait de reconnaître les droits d'une portion de l'humanité.

Le préjugé racial n'est pas inné : comme le note M. Ashley Montagu, « en Amérique, là où blancs et noirs vivent fréquemment côte à côte, il est indéniable que les enfants blancs n'apprennent pas à se considérer comme supérieurs aux enfants nègres tant qu'on ne leur a pas dit qu'il en était ainsi » ; quand, d'autre part, on constate chez un groupe tenu à l'écart une tendance au racisme (se manifestant soit par l'endogamie volontaire, soit par l'affirmation plus ou moins agressive des vertus de sa « race »), il faut n'y voir qu'une réaction normale d' « humiliés et offensés » contre l'ostracisme ou la persécution auxquels ils sont en butte et n'en pas faire un indice de la généralité du préjugé racial. Quel que soit le rôle de l'agressivité dans le psychisme humain, nulle tendance ne pousse les hommes à des actes hostiles dirigés contre des hommes regardés comme d'une autre race, et si pareils actes, trop souvent, se commettent ce n'est pas à cause d'une inimitié d'ordre biologique, car on n'a jamais vu (que je sache) une bataille de chiens où les épagneuls, par exemple, feraient front contre les bouledogues.

Il n'y a pas de races de maîtres en face de races d'esclaves : l'esclavage n'est pas né avec l'homme ; il n'a fait son apparition que dans des sociétés assez développées au point de vue technique pour pouvoir entretenir des esclaves et en tirer avantage pour la production.

Du point de vue sexuel, on ne voit pas qu'il y ait, d'une race à l'autre, une répulsion : tous les faits recueillis attestent, au contraire, que des croisements de races n'ont pas cessé de se produire depuis les temps les plus reculés, et il est bien certain qu'ils ne donnent pas de mauvais résultats puisqu'une civilisation très brillante comme fut celle de la Grèce, par exemple, semble avoir été précisément le fait d'un milieu humain assez composite.

Le préjugé racial n'a rien d'héréditaire non plus que de spontané ; il est un « préjugé », c'est-à-dire un jugement de valeur non fondé objectivement et d'origine culturelle : loin d'être donné dans les choses ou inhérent à la nature humaine, il fait partie de ces mythes qui procèdent d'une propagande intéressée bien plus que d'une tradition immémoriale. Puisqu'il est lié essentiellement à des antagonismes reposant sur la structure économique des sociétés modernes, c'est dans la mesure où les peuples transformeront cette structure qu'on le verra disparaître, comme d'autres préjugés qui ne sont pas des causes d'injustice sociale mais plutôt des symptômes. Ainsi, grâce à la coopération de tous les groupes humains quels qu'ils soient sur un plan d'égalité s'ouvriront pour la Civilisation des perspectives insoupçonnées.

Deuxième partie

II

L'ETHNOGRAPHIE
DEVANT LE COLONIALISME

Cette esquisse reproduit — en une version passablement remaniée mais marquée néanmoins par ses circonstances d'origine — un exposé suivi de discussion, fait le 7 mars 1950 à l'Association des Travailleurs Scientifiques (section des sciences humaines) devant un auditoire composé surtout d'étudiants, de chercheurs et de membres du corps enseignant.

L'ethnographie peut être définie sommairement comme l'étude des sociétés envisagées au point de vue de leur culture, qu'on observera pour essayer d'en dégager les caractères différentiels. Historiquement, elle s'est développée en même temps que s'effectuait l'expansion coloniale des peuples européens et que s'étendait à une portion de plus en plus vaste des terres habitées ce système qui se réduit essentiellement à l'asservissement d'un peuple par un autre peuple mieux outillé, un voile vaguement humanitaire étant jeté sur le but final de l'opération :

assurer leur profit à une minorité de privilégiés.
Diffusion de la culture occidentale conçue comme la
plus parfaite en dépit d'inventions telles que l'ypérite
(dont Mussolini usa contre les Abyssins) et aujour-
d'hui la bombe atomique (dont l'ancien monde est
menacé par le gouvernement américain), mise en
valeur de territoires qui resteraient sans cela impro-
ductifs, progrès du christianisme et de l'hygiène, voilà
les plus alléguées parmi les raisons bonnes ou mau-
vaises que le colonialisme moderne peut se trouver
de dominer des pays et d'exploiter leurs habitants en
les aliénant à eux-mêmes. C'est, il ne faut pas
l'oublier, une mission d'ordre humanitaire également
que l'Allemagne hitlérienne prétendait s'assigner
quand elle masquait ses brigandages derrière l'idée
d'une régénération de l'Europe et justifiait ses exter-
minations par une certaine eugénique.

Bien qu'en principe toute société puisse être
étudiée de ce point de vue, l'ethnographie a pris
pour domaine d'élection l'étude des sociétés « non
mécanisées », autrement dit : celles qui n'ont pas
élaboré de grande industrie et ignorent le capitalisme
ou, en quelque sorte, ne le connaissent que de l'extérieur, sous la forme de l'impérialisme qu'elles
subissent. En ce sens donc, l'ethnographie apparaît
étroitement liée au fait colonial, que les ethnographes
le veuillent ou non. Pour la plupart, c'est dans des
territoires coloniaux ou semi-coloniaux dépendant de
leur pays d'origine qu'ils travaillent et, même s'ils
ne reçoivent aucun appui direct des représentants

locaux de leur gouvernement, ils sont tolérés par eux
et assimilés plus ou moins par les gens qu'ils étudient
à des agents de l'administration. Dans de telles
conditions il paraît, dès l'abord, difficile à l'ethnographe même le plus épris de science pure de fermer
les yeux sur le problème colonial, puisqu'il est, bon
gré mal gré, intégré à ce jeu et qu'il s'agit d'un
problème ni plus ni moins que vital pour les sociétés
ainsi assujetties dont il s'occupe.

S'il est indiscutable que l'ethnographie — sous
peine de n'être plus une science — doit tendre au
maximum d'impartialité, il est non moins indiscutable que, étant une science humaine, elle ne saurait
prétendre qu'à un détachement moindre encore qu'il
n'en est pour une science physique ou une science
naturelle. En dépit des différences de couleur et de
culture, quand nous faisons une enquête ethnographique ce sont toujours nos semblables que nous
observons et nous ne pouvons adopter à leur égard
l'indifférence, par exemple, de l'entomologiste qui
regarde d'un œil curieux des insectes en train de se
battre ou de s'entre-dévorer. De plus, l'impossibilité
de soustraire complètement une observation à l'influence de l'observateur est, pour l'ethnographie,
encore moins négligeable que pour les autres sciences,
car elle va beaucoup plus loin. Même si nous consi-
dérions — au nom de la science pure — que nous
devons nous borner à mener nos enquêtes et ne pas
intervenir, nous ne pouvons rien contre ce fait, à
savoir que la seule présence de l'enquêteur au sein

de la société sur laquelle il travaille est déjà une
intervention : ses questions, ses propos, voire son
simple contact suscitent pour celui qu'il interviewe
des problèmes qu'il ne s'était jamais posés ; cela lui
fait voir ses coutumes sous un autre jour, lui dévoile
des horizons. En dehors de leur travail d'enquêteurs
les ethnographes acquièrent, par ailleurs, des objets
destinés à être étudiés et conservés dans des musées.
Dans le cas au moins des objets religieux ou des
objets d'art transportés dans un musée métropolitain,
quelle que soit la façon dont on indemnise ceux qui
en étaient les détenteurs, c'est une part du patrimoine
culturel de tout un groupe social qui se trouve ainsi
enlevée à ses véritables ayants droit, et il est clair
que cette partie du travail qui consiste à rassembler
des collections — s'il est permis d'y voir autre chose
qu'une pure et simple spoliation (vu l'intérêt scientifique qu'elle présente et du fait que, dans les musées.
les objets ont chance de se mieux conserver qu'en
demeurant sur place) — se range du moins parmi les
agissements de l'ethnographe qui lui créent des
devoirs propres vis-à-vis de la société étudiée :
l'acquisition d'un objet qui n'est pas destiné norma-
lement à la vente est, en effet, une entorse aux usages
et représente donc une intervention telle que celui qui
s'en est rendu responsable ne peut, lui non plus, se
considérer comme tout à fait étranger à la société
dont les habitudes ont été ainsi bousculées.

Si pour l'ethnographie plus encore que pour
d'autres disciplines il est déjà patent que la science

pure est un mythe, il faut admettre de surcroît que la volonté d'être de purs savants ne pèse rien, en l'occurrence, contre cette vérité : travaillant en pays colonisés, nous ethnographes qui sommes non seulement des métropolitains mais des mandataires de la métropole puisque c'est de l'Etat que nous tenons nos missions, nous sommes fondés moins que quiconque à nous laver les mains de la politique poursuivie par l'Etat et par ses représentants à l'égard de ces sociétés choisies par nous comme champ d'étude et auxquelles — ne serait-ce que par astuce professionnelle — nous n'avons pas manqué de témoigner, quand nous les avons abordées, cette sympathie et cette ouverture d'esprit que l'expérience montre indispensables à la bonne marche des recherches.

Scientifiquement, il est déjà certain que nous ne pouvons, sans que nos vues sur elles en soient faussées, négliger le fait que les sociétés en question sont des sociétés soumises au régime colonial et qu'elles ont par conséquent subi — même quant aux moins touchées, aux moins « acculturées » — un certain nombre de perturbations. Si nous voulons être objectifs, nous devons considérer ces sociétés dans leur état *réel* — c'est-à-dire dans leur état actuel de sociétés subissant à quelque degré l'emprise économique, politique et culturelle européenne — et non pas en nous référant à l'idée de je ne sais quelle intégrité, car, cette intégrité, il est bien évident que les sociétés qui sont de notre ressort ne l'ont jamais connue, même avant d'être colonisées, vu qu'il n'est

vraisemblablement pas une seule société qui ait toujours vécu dans l'isolement complet, sans aucune
espèce de rapports avec d'autres sociétés et sans,
par conséquent, recevoir du dehors un minimum d'in-
fluences.

Humainement, pour la raison dite plus haut (notre
appartenance à une nation colonisatrice et notre
caractère de fonctionnaires ou chargés de mission
du gouvernement de cette nation), il ne nous est pas
possible de nous désintéresser des actes de l'administration coloniale, actes dans lesquels nous avons
nécessairement (en tant que citoyens et en tant que
missionnés) notre part de responsabilité et dont il ne
saurait suffire, si nous les désapprouvons, de nous
désolidariser de manière simplement platonique.
Nous, qui faisons métier de *comprendre* les sociétés
colonisées auxquelles nous nous sommes attachés
pour des motifs souvent étrangers à la stricte curiosité scientifique, il nous revient d'être comme leurs
avocats naturels vis-à-vis de la nation colonisatrice
à laquelle nous appartenons : dans la mesure où il y a
pour nous quelque chance d'être écoutés, nous devons
être constamment en posture de défenseurs de ces
sociétés et de leurs aspirations, même si de telles
aspirations heurtent des intérêts donnés pour nationaux et sont objet de scandale.

En tant que spécialiste de l'étude de ces sociétés
si mal connues de la plupart des métropolitains et en
tant que voyageur ayant visité des régions dont ces
mêmes métropolitains n'ont que l'idée la plus confuse

sinon la plus erronée, il revient, par ailleurs, à l'ethnographe de faire connaître ce qu'elles sont au vrai et il est donc souhaitable qu'il ne dédaigne pas, malgré l'ordinaire répugnance des savants envers la vulgarisation, les occasions qui peuvent lui être offertes de s'exprimer ailleurs que dans des publications scientifiques, de manière à assurer aux vérités qu'il a à dire le maximum de diffusion. Dissiper des mythes (à commencer par celui de la facilité de vie sous les tropiques) ; dénoncer, par exemple, les faits de ségrégation ou autres habitudes qui témoignent d'un racisme persistant même chez les peuples qui, tels ceux qu'il est d'usage de regarder comme « latins », paraissent moins enclins que d'autres à voir dans la race blanche la race des seigneurs ; blâmer les actes officiels ou privés qu'il estime nuisibles pour le présent ou pour l'avenir des peuples dont il s'occupe : telles sont les tâches élémentaires qu'un ethnographe ne peut — s'il est doué de quelque conscience professionnelle — se refuser à prendre, au moins, en considération.

Ce n'est pas, toutefois, à la simple affirmation générale de ce devoir d'informateurs de l'opinion et de critiques qu'il s'agit d'en venir. Il est entendu que tout travailleur intellectuel honnête en mesure de s'exprimer publiquement ne doit pas craindre de prendre parti contre des erreurs ou des injustices sur lesquelles il est un des plus dûment habilités à témoigner ; il est entendu qu'il ne doit pas hésiter à ainsi se compromettre, dès qu'il lui apparaît qu'une telle

dénonciation est le moyen le plus efficace dont il
dispose de contribuer à un redressement et qu'il ne
se met pas, ce faisant, hors d'état d'accomplir, dans
un sens analogue, un travail encore plus utile. Mais
si l'on considère avant tout que les ethnographes,
spécialistes de l'étude des cultures en tant que phénomènes de masse, sont axés par le jeu de la spécialisation scientifique sur la culture de tel peuple ou
groupe de peuples colonisé, il semble que — abstraction faite de ces premiers devoirs sur lesquels il
revient à chacun de prendre ses responsabilités et
pour lesquels, du reste, chaque cas est un cas
d'espèce — c'est une tâche plus précise qu'on est en
droit d'attendre de ces techniciens. La nature exacte
de cette tâche et les modalités de son accomplis-
sement (modalités qu'on peut prévoir délicates, vu
l'état de dépendance dans lequel l'ethnographe se
trouve vis-à-vis des pouvoirs officiels) sont, en définitive, les points sur lesquels on aimerait voir la
discussion s'engager, entre ceux des ethnographes
qu'anime un attachement sincère pour les groupes
humains à l'étude desquels ils se sont consacrés.
Tâche positive, et non de simple protestation ; tâche
active, touchant à la sauvegarde des cultures dont
ces groupes humains constituent les véhicules. Sauvegarde, toutefois, qu'il ne faut pas confondre avec
leur conservation, comme le font nombre d'ethnographes dont le vœu est de voir les cultures sur
lesquelles ils ont fait porter leur effort se transformer
le moins possible et qu'on serait enclin, bien souvent,

à soupçonner d'être surtout désireux de pouvoir continuer à les étudier ou à se délecter de leur spectacle.

Une culture se définissant comme l'ensemble des modes d'agir et de penser, tous à quelque degré traditionnels, propres à un groupe humain plus ou moins complexe et plus ou moins étendu, elle est inséparable de l'histoire. Cette culture, qui se transmet de génération à génération en se modifiant suivant un rythme qui peut être rapide (comme c'est le cas, en particulier, pour les peuples du monde occidental moderne, encore qu'intervienne ici pour une part une illusion d'optique, qui nous fait surestimer l'importance de changements d'autant plus considérables en apparence qu'ils choquent nos habitudes) ou qui peut, au contraire, être assez lent pour que ces changements nous soient imperceptibles (comme c'est le cas, par exemple, pour telles tribus africaines dont la description extérieure qu'en a faite Hérodote reste à peu près valable de nos jours), cette culture n'est pas une chose figée mais une chose mouvante. Par tout ce qu'elle comporte de traditionnel elle se rattache au passé, mais elle a aussi son avenir, étant constamment à même de s'augmenter d'un apport inédit ou bien, inversement, de perdre un de ses éléments qui tombe en désuétude, et cela, du fait même qu'elle se trouve, les générations se succédant, reprise à tout moment par de nouveaux venus à chacun desquels elle fournit une

base de départ vers les buts d'ordre individuel ou
collectif qu'il s'assigne personnellement.

Or, dès l'instant que toute culture apparaît
comme en perpétuel devenir et faisant l'objet de
dépassements constants à mesure que le groupe
humain qui en est le support se renouvelle, la volonté
de conserver les particularismes culturels d'une
société colonisée n'a plus aucune espèce de signification. Ou plutôt une telle volonté signifie, pratiquement, que c'est à la vie même d'une culture qu'on
cherche à s'opposer.

Venue de l'intérieur de la société elle-même et du
sein de la masse qui la compose, une volonté ainsi
orientée pourrait avoir le sens d'une vocation : ce
serait la société elle-même qui aurait fait son choix
quant à son propre devenir et l'on pourrait alors
seulement critiquer (pour l'approuver ou la désap-
prouver) cette volonté conservatrice. Mais on serait
fondé quoi qu'il en soit, dans les bornes de cette
critique, à dire de la société qui prendrait pareille
décision qu'elle ferait, en quelque sorte, une croix
sur sa propre histoire et se nierait en tant que dépo-
sitaire de certaines formes de culture. L'on doit
admettre, en effet, qu'une civilisation quelle qu'elle
soit n'a atteint son véritable épanouissement que
quand elle a acquis un certain rayonnement et s'est
montrée capable d'exercer une influence sur les
autres civilisations en leur fournissant quelques-uns
des éléments de leurs systèmes de valeurs ; or l'on
sait qu'une société colonisée ne dispose ni des moyens

ni du prestige voulus pour exercer une véritable influence : on peut parler de l'influence qu'a exercée, par exemple, l'art nègre sur le développement de l'art occidental contemporain, il n'en reste pas moins qu'on ne saurait guère soutenir que nos façons d'être ou même notre représentation du monde se sont trouvées sérieusement modifiées par cet apport à coup sûr précieux, mais minime, qui nous est venu de l'Afrique. Ce qui, plutôt que le désir (d'ailleurs utopique dans les conditions du monde moderne) de rester fermées sur elles-mêmes, paraîtrait la ligne juste pour les sociétés colonisées ou semi-colonisées — quand il s'agit de grands ensembles ou de groupes de sociétés présentant entre elles peu de différences culturelles — c'est que, parallèlement à une prise de conscience de ce qu'elles représentent d'original, d'irremplaçable au point de vue culturel (de sorte qu'une certaine fidélité y soit ainsi gardée à leur passé), leurs éléments les plus actifs les aiguillent vers l'effort d'assimilation de nos techniques et d'éducation populaire indispensable à chacune de ces sociétés, prise dans la totalité de ses membres, pour remonter son handicap dans toute la mesure des possibilités locales et atteindre à des conditions telles que la voix de ses masses libérées — et, de ce fait, à même de participer de manière effective à l'évolution culturelle — puisse délivrer au dehors un message et le faire écouter. En ce sens, le travail qui s'accomplit actuellement en Chine sous l'impulsion de Mao Tsé-toung doit apparaître, à tous ceux qui pensent

que les peuples occidentaux ne sont pas capables à
eux seuls de fonder une civilisation vraiment humaine,
comme une ouverture sur des perspectives autorisant
beaucoup d'espoir. Autant qu'on en puisse juger, une
telle transformation diffère radicalement de ce qui
s'est produit au Japon durant ces dernières décennies,
parce qu'elle est mouvement d'émancipation *populaire* et non simple alignement sur les pays capita-
listes, comme c'est le cas pour le Japon, passé du
rang de vieil état féodal à celui de puissance impérialiste.

Dans le cas d'une société trop réduite ou placée
dans des conditions telles qu'il n'y a pratiquement
aucune chance pour que sa culture acquière jamais
un rayonnement, on peut souhaiter la voir abandonnée à elle-même, pensant qu'elle pourra au moins
persister dans ce qu'elle est. Mais une société ainsi
livrée à l'isolement total — si tant est que la chose
soit possible — ne serait vouée qu'à végéter pendant
un temps plus ou moins long ; on la laisserait, en
somme, « mourir de sa belle mort ». Et si, au lieu
de la couper de tous contacts, on lui applique le
système des « réserves » (qui n'exclut pas l'assistance
médicale), outre qu'il y a quelque chose de choquant
dans le fait de mettre une société sous cloche (car
c'est traiter des hommes comme des animaux qu'on
parque dans un zoo ou qu'on enferme en vase clos
pour une expérience de laboratoire), il demeure que
le jeu n'en est pas moins faussé par ce minimum de
contacts et qu'il y a de grandes chances pour que

passe assez vite à l'état de curiosité touristique pour syndicat d'initiative la culture préservée de la sorte grâce à un artifice. On peut, il est vrai, alléguer que les membres de la société ainsi mise à l'écart ont chance de vivre plus heureux que mêlés à notre monde et à ses vicissitudes, mais rien n'est moins certain : l'on n'est que trop porté à regarder comme heureux un peuple qui nous rend, nous, heureux quand nous le regardons, en raison de l'émotion poétique ou esthétique que son spectacle nous donne. L'on sait, au demeurant, combien pareilles mesures conservatrices, déjà parcimonieuses quant à l'étendue des terrains concédés (comme c'est le cas notamment au Kenya), sont, au surplus, précaires et sujettes à révision si le besoin vient à s'en faire sentir pour quelque raison d'ordre économique ou militaire.

D'une certaine façon, décrire la culture comme une chose dont l'essence est d'évoluer peut sembler apporter au colonialisme une justification : la nécessité d'éduquer les peuples regardés comme attardés, et cela dans leur propre intérêt comme dans celui de tous, est, en effet, l'un des arguments dont les colonialistes usent le plus volontiers (bien qu'en fait ils redoutent et tendent même à ralentir, sous des prétextes divers, une évolution d'où ne peut résulter finalement que leur élimination). Ne serait-ce que dans la mesure où la colonisation — pour destructrice qu'elle soit de valeurs humaines et lourde consommatrice de travail au bénéfice de quelques-uns —

entraîne non seulement des progrès dans le domaine technique et dans le domaine sanitaire mais implique nécessairement la fondation d'un minimum d'établissements d'enseignement, les colonisateurs peuvent, sans trop d'outrecuidance, porter à leur actif ce rôle éducateur. L'on ne saurait, toutefois, omettre de considérer que, s'il y a un intérêt certain à ce que l'instruction se répande chez ces peuples, ce n'est pas pour qu'à leurs systèmes d'idées se substituent les nôtres, que rien — sinon des considérations pragmatiques — ne permet de tenir pour plus valables à priori, mais afin qu'au plus tôt ces peuples soient outillés intellectuellement comme nous le sommes, capables d'obtenir les mêmes résultats pratiques et en état, par conséquent, de prendre en mains leur destin. Une telle éducation, si on la juge humainement utile, doit logiquement se faire à l'échelle la plus large et dans les délais les plus brefs ; et il faut ajouter qu'elle s'accomplira d'autant plus vite et d'autant mieux que les peuples en question se rendront compte du besoin impérieux qu'ils ont de cette arme dans la lutte qu'il leur faut mener pour triompher d'une oppression qui est liée à la nature même du capitalisme (concentration des moyens de production entre les mains d'une classe privilégiée) et est encore une oppression même quand elle se présente sous les espèces du plus bénin paternalisme. On doit considérer, de surcroît, que cette lutte en elle-même est une éducation : ce n'est pas en se résignant à vivre sous tutelle mais en s'habituant à prendre ses responsabilités qu'on devient apte à se diriger par soi-même.

Obligé comme il l'est, quel que puisse être son jugement sur le régime colonial, d'en admettre à tout le moins dans l'immédiat l'existence de fait, l'ethnographe est certes en droit de donner des avis (d'être, somme toute, un « collaborateur » de ce régime) dans la mesure d'ailleurs restreinte où l'on veut bien faire appel à lui comme expert. Quant à l'éducation (pour m'en tenir au terrain culturel au sens étroit du terme) il semble, par exemple, qu'un ethnographe — habitué qu'il est à prendre une vue relativiste des civilisations et à regarder les idées comme liées indissolublement à des concomitances concrètes — ne puisse qu'appuyer ceux qui estiment que l'enseignement en territoire colonisé ou semi-colonisé doit, au moins à ses débuts, se référer le plus possible au cadre naturel et historique local si l'on ne veut pas faire de l'enfant un déraciné doué d'une culture de pure surface ; bien que les autorités officielles aient compris la nécessité d'un effort de ce genre, bridé par les exigences d'une éducation qui tend par définition à susciter le loyalisme cet effort reste insuffisant : peut-on considérer, par exemple, comme une histoire vraiment « locale » une histoire de l'Afrique Occidentale Française dont une bonne moitié est consacrée à l'histoire de l'exploration et de la conquête de cette partie de l'Afrique par les Européens ? Pour la même raison, maint ethnographe se joindra à ceux qui déplorent que l'enfant, par l'enseignement dispensé dans la langue des colonisateurs (ainsi qu'on le pratique en territoire français) soit détourné de sa langue maternelle au profit d'une autre langue liée à un autre système de notions qui se vident d'une bonne partie de leur contenu quand elles se trouvent comme superposées — et non plus intégrées — à des façons de vivre différentes ; de ce point de vue, il semble qu'une solution devrait être cherchée — ainsi que M. Léopold Sedar Senghor l'a déjà préconisé — dans le sens d'un enseignement bilingue (en français et dans une des langues vernaculaires les plus répandues), mode d'enseignement qui n'entraînerait pas le même dépaysement que l'enseignement donné exclusivement en français et n'exposerait pas l'enfant au risque d'être, plus tard, coupé de l'extérieur et privé de moyens de défense vu son ignorance — ou sa connaissance insuffisante — d'une des grandes langues dites « de civilisation ».

Dans les limites d'un exposé aussi général (dont le but n'est pas de résoudre, mais de signaler à l'attention, certains problèmes que pose à l'ethnographe d'aujourd'hui l'exercice de sa profession) il est, bien entendu, impossible d'aborder tous les points sur lesquels l'ethnographe peut être appelé à faire du travail utile, sur le plan tout au moins d'un aménagement provisoire des conditions de vie pour les peuples qui ne sont pas encore parvenus à l'émancipation. Organisation du travail, formes d'industrialisation, questions d'habitat, protection des artisanats sont quelques-uns de ces points, encore que de telles interventions doivent être faites avec la prudence la plus grande pour ne pas jouer dans un sens finalement contraire au libre développement de la culture de ces peuples, les mesures envisagées pouvant aboutir soit à un prolongement pur et simple de la période de tutelle soit à la dégénérescence accélérée de ce qu'on entendait protéger (comme c'est le cas pour tant de tentatives en faveur des « arts indigènes »).

S'il est certain que, ces réserves faites, l'ethnographie appliquée aux problèmes coloniaux peut rendre de nombreux services et atténuer çà et là des chocs trop brutaux (ainsi que Lucien Lévy-Bruhl l'indiquait en 1926 lors de la création de l'Institut d'Ethnologie de l'Université de Paris), il n'est pas moins certain qu'elle peut, en dehors de toute application dans le cadre administratif, être de quelque utilité aux peuples colonisés en voie d'émancipation et chez lesquels s'amorce une réflexion sur ce que signifient les particularités de leurs cultures traditionnelles.

Quant à la sauvegarde des cultures, j'ai déjà dit qu'à mon sens il serait vain de les conserver telles quelles car, en admettant qu'on puisse le faire, cela reviendrait à les pétrifier et signifierait d'ailleurs, du point de vue colonialisme, le maintien du *statu quo*. Sans nous arroger le rôle de guides — car c'est aux colonisés eux-mêmes de découvrir leur vocation et non à nous, ethnographes, de la leur révéler du dehors — et sans chercher non plus à nous poser en conseillers (ce qui impliquerait une suffisance encore bien proche du paternalisme), nous devons cependant considérer qu'en étudiant leurs cultures nous fournissons à ces colonisés des matériaux susceptibles en tout cas de les aider à définir leur vocation et que nous ne faisons, d'autre part, que remplir strictement notre fonction d'hommes de science en les faisant profiter de ces travaux qui les concernent au premier chef pour la simple raison qu'ils en sont la matière. A ces peuples dont ceux mêmes qui, connaissant l'écriture, sont en mesure d'avoir une histoire composée d'autre chose que de traditions orales mais ne disposent pas des méthodes qui leur permettraient d'effectuer l'étude positive de leur propre vie sociale, constituer des archives où il leur sera loisible de puiser est un travail dont on ne saurait méconnaître l'intérêt, au point de vue non seulement de la connaissance en général mais de la conscience d'eux-mêmes que peuvent prendre ces peuples. Travail de techniciens que, dans les conditions actuelles, nous sommes autant dire les seuls à pouvoir effectuer, vu le nombre forcément presque nul des personnes qui, parmi les originaires des pays en question, ont eu le goût et la possibilité de s'adonner à l'ethnographie ; travail dont nous devons toutefois, pour lui donner sa vraie portée, diffuser au maximum les résultats afin que d'ores et déjà ils viennent à la connaissance

du plus grand nombre possible d'intellectuels — à
défaut d'un public plus étendu — dans les pays
colonisés. De telles études, montrant que ces cultures
réputées moins avancées ou plus frustes que les
nôtres sont dignes d'être prises au sérieux et souvent
même empreintes d'une véritable grandeur, ne
peuvent en effet qu'aider ceux qui en sont les représentants plus ou moins directs à liquider ce complexe
d'infériorité qu'a développé chez beaucoup le régime
colonial, complexe qui porte trop d'entre eux à
regarder comme la seule « culture » méritant ce nom
celle qu'ils ont apprise des Européens qui constituent
dans leur pays une caste privilégiée. En ce sens, bien
que l'étude de celles de ces sociétés qui — moins
touchées que les autres par la colonisation — présentent, de ce fait, un caractère que l'on peut dire
« archaïque » (ou, plus justement peut-être « ana-
chronique »), bien que l'étude de telles sociétés nous
éloigne de l'étude des questions plus actuelles et
puisse devenir une sorte d'alibi, elle a l'indéniable
intérêt de fixer, pour les membres futurs desdites
sociétés (à condition toutefois que ces dernières n'en
viennent pas à une désagrégation totale), la figure
approximative de ce qu'elles auront été. Si nous
parvenions à donner à ces travaux la diffusion voulue
au lieu qu'ils ne soient publiés pratiquement que pour
nous et pour nos confrères des pays étrangers, elle
aurait dès maintenant l'intérêt d'offrir à tous ceux
des colonisés à même de nous lire un témoignage
de ce qu'ont pu réaliser, par leurs propres moyens,

des membres de ce groupe de peuples auquel ils appartiennent.

Assurément, de telles études sont urgentes, les sociétés jusqu'à présent à peu près préservées se trouvant menacées, à tout moment, d'une transformation plus ou moins rapide et plus ou moins profonde par la pénétration européenne, si ce n'est, tout simplement, de décadence interne. Pour lointaines qu'en puissent être les perspectives de mise en œuvre par les groupes qui les ont motivées, il est donc indispensable que certains chercheurs s'y consacrent. Mais il faut réagir — et mettre les étudiants en garde — contre une tendance trop fréquente chez les ethnographes, du moins pour ce qui concerne la France : celle qui consiste à s'attacher de préférence aux peuples qu'on peut qualifier, relativement, d'intacts, par goût d'un certain « primitivisme » ou parce que de tels peuples présentent par rapport aux autres l'attrait d'un plus grand exotisme. A procéder ainsi, l'on risque — il faut y insister — de se détourner des problèmes brûlants, un peu comme ces administrateurs coloniaux (tels qu'on peut en entendre en Afrique noire) qui font l'éloge du « brave type de la brousse » en l'opposant à l' « évolué » des villes et jugent ce dernier avec une sévérité d'autant plus grande qu'il est, par rapport au représentant moderne du « bon sauvage » des auteurs du XVIIIe siècle, plus difficile à administrer. Alléguer d'autre part que de tels peuples, dont la culture nous apparaît comme plus pure, sont (mettons) des Africains plus authentiques que les autres regardés comme frelatés est un jugement de valeur sensiblement équivalent à celui qui consisterait à tenir (disons) les paysans bretons pour des Français plus authentiques que les habitants des grandes villes, sous prétexte que ces derniers vivent dans des carrefours où se croisent de multiples courants. Il n'est nullement paradoxal — et non moins légitime, en tout cas — d'affirmer au contraire que, parmi les Africains (puisque j'ai choisi cet exemple), les plus intéressants du point de vue humain seraient plutôt ces « évolués » dont les yeux s'ouvrent sur les choses d'une manière nouvelle et que c'est parmi ces gens (regardés trop souvent, par suite d'une généralisation abusive, comme de simples imitateurs avides de considération ou de places) qu'on rencontre les Africains, par définition, les plus authentiques, c'est-à-dire ceux qui, ayant une pleine conscience de ce qu'est leur condition d'hommes de couleur colonisés et supportant de plus en plus malaisément l'oppression capitaliste introduite par les Européens, se sont faits les promoteurs de l'émancipation, pour eux-mêmes et pour ceux qui sont leurs frères moins encore par la race que par la condition. C'est dire que, quoi qu'on puisse, par exemple, penser au point de vue politique d'un mouvement tel que le Rassemblement Démocratique Africain, il n'y a pas à en nier l'authenticité africaine sous prétexte qu'il a trouvé une arme dans la culture occidentale et un allié dans le Parti Communiste Français ; et il faut

ajouter par ailleurs que, pour l'historien des mœurs
sinon pour l'ethnographe, il n'est pas sans piquant
d'observer qu'on se plaît, malignement, à relever
le rôle de la propagande « étrangère » dans le fait
que de larges masses en Afrique noire française (et
singulièrement en Côte d'Ivoire, mise en coupe
réglée par de nombreux colons blancs) découvrent
aujourd'hui leur situation d'exploités et s'organisent
pour lutter contre cette exploitation, alors que l'offen-
sive contre ce mouvement de revendication sociale
s'est développée, précisément, quand il a été question
d'ouvrir ces mêmes territoires à des investissements
de capitaux américains.

Du strict point de vue de la recherche scientifique,
il semble, au demeurant, qu'il y ait beaucoup à
apprendre au contact de ceux que l'on désigne par
ce terme bien déplaisant : les « évolués ». Chez ces
hommes en qui, par le jeu même de l'acculturation,
nous ne retrouvons qu'un petit nombre des traits
que nous avions accoutumé d'observer chez d'autres
Africains, on a chance de saisir certains caractères
dont on peut se demander si leur présence persistante
n'indiquerait pas qu'ils correspondent à ce qu'il y
avait de plus profond, de plus inhérent à la personne
dans les cultures qui se présentent en eux comme
si elles avaient subi quelque chose qu'on pourrait
alors comparer à une décantation : des traits — ou
une allure, plutôt — qui répondraient à ce qu'un
peuple peut posséder, dans sa culture, de moins directement assujetti aux vicissitudes historiques et consti-

tueraient précisément la *façon particulière qu'on y a d'être un homme,* cette façon représentant, à tout le moins pour une longue période, ce qu'on serait en droit de regarder comme faisant l'originalité même de ce peuple.

Ainsi, d'une façon comme de l'autre il semble que ce soit une erreur de réduire — comme, en fait, on y arrive trop souvent — le champ ethnographique à celui du folklore et, donnant la primauté aux sociétés réputées les moins contaminées (soit : celles qui sont restées pour ainsi dire hors du circuit de notre vie moderne et se présentent un peu à la manière de survivances), de laisser de côté les gens sur qui l'emprise de la civilisation occidentale se fait plus fortement sentir : ceux des villes, par exemple, ceux qu'on désigne, selon la classe sociale à laquelle ils appartiennent, sous ce nom fâcheux d' « évolués » et sous celui, guère moins désagréable, de « détribalisés ».

Dans ce but à vrai dire des plus simples — orienter l'ethnographie française dans un sens que je n'hésiterai pas à dire plus *réaliste* sans méconnaître ce qu'a de vague et d'incertain un pareil terme — il conviendrait d'habituer les étudiants (trop aisément séduits, quant à la direction de leurs futures recherches, par l'attrait des mythes et des rites, attrait à coup sûr justifiable par l'immense intérêt que présente cette partie de la recherche, ne serait-ce que parce que dans une société donnée mythes et rites représentent la « tradition » dans l'acception la plus stricte, mais attrait qui ne doit pas faire oublier que mythes et rites perdent une bonne part au moins de leur signification dès qu'on les étudie en négligeant tant soit peu leur contexte social), il conviendrait d'habituer les étudiants à regarder comme tout aussi digne de solliciter les meilleurs d'entre eux un travail qui, à beaucoup, apparaît plus ingrat : l'étude des sociétés sur le plan tout à fait terre à terre des conduites quotidiennes ou, par exemple, de l'alimentation (si fréquemment insuffisante ou mal équilibrée) et des niveaux de vie.

Dans cette perspective « réaliste », il serait souhaitable également qu'on soit en mesure d'étudier des sociétés coloniales prises *dans leur entier,* la recherche portant non seulement sur les originaires mais sur les Européens et sur les autres Blancs qui y ont leur résidence (ou s'attachant, au moins, à l'examen des rapports qu'ont avec les originaires ces non-colonisés). Une telle étude ne manquerait pas de faire ressortir combien, du point de vue humain, le rapport colonial-colonisé peut être préjudiciable à chacune des deux parties : situation inégale qui ne peut engendrer que démoralisation de part et d'autre, inclinant l'un à la démesure, l'autre à la servilité.

Un autre point sur lequel il est indispensable d'attirer l'attention est le suivant. Si l'on regarde l'ethnographie comme une des sciences qui doivent contribuer à l'élaboration d'un véritable humanisme, il est à coup sûr regrettable qu'elle soit restée, en quelque manière, unilatérale. Je veux dire par là que, s'il y a bien une ethnographie faite par des Occidentaux étudiant les cultures d'autres peuples, l'inverse n'existe pas ; nul, en effet, de ces autres peuples n'a jusqu'à présent produit de chercheurs en mesure — ou pratiquement en état — de faire l'étude ethnographique de nos propres sociétés. Du point de vue de la connaissance il y a là, si l'on y réfléchit, une sorte de déséquilibre qui fausse la perspective et contribue à nous assurer dans notre orgueil, notre civilisation se trouvant ainsi hors de portée de l'examen des sociétés qu'elle a, elle, à sa portée pour les examiner.

Il va sans dire que je n'entends nullement préconiser ce qui, dans l'état actuel du rapport des forces, serait une utopie : former dans les pays colonisés des ethnographes du cru qui seraient à même de venir chez nous en mission pour faire l'étude de nos façons de vivre. Je ne méconnais pas non plus que, même si un tel projet n'était pas utopique, le problème ne serait pas résolu pour autant, puisque ces chercheurs travailleraient d'après les méthodes que nous leur aurions enseignées et que ce serait, par conséquent, une ethnographie encore fortement marquée de notre griffe qui serait ainsi constituée. La question toute théorique que je soulève ici demeure donc entière mais, dans un sens analogue, une chose n'en est pas moins parfaitement réalisable et ne manque pas, d'ailleurs, de précédents : former des ethnographes originaires se consacrant à la recherche soit dans leur propre société soit dans

des sociétés voisines. En développant systématique-
ment, en regard de la nôtre, cette ethnographie due
à des originaires, on obtiendrait, pour les sociétés
en question, des études faites selon deux points de
vue : celui du métropolitain qui, quels que soient
ses efforts pour se mettre de plain-pied avec la
société qu'il observe, ne peut rien contre le fait qu'il
est un métropolitain ; celui, d''autre part, du colonisé qui travaille dans son propre milieu ou dans
un milieu proche du sien et dont on peut espérer que
sa façon de voir différera plus ou moins de la nôtre.
La formation d'un nombre suffisant de colonisés
ethnographes — qu'il en résulte ou non des aperçus
vraiment neufs sur les régions considérées — serait
utile en ce sens au moins que les colonisés, tout en
se détachant de leurs coutumes (ainsi qu'il est iné-
vitable), en garderaient, peut-on croire, un souvenir
plus vivant puisque ce seraient des études effectuées
par les leurs qui leur permettraient d'en apprécier
la signification et la valeur et que ceux-là mêmes
qui se consacreraient à l'étude de leurs propres
façons de vivre adopteraient, *ipso facto,* à leur égard
une attitude d'esprit — cette position d'observateur
embrassant du regard pour situer à sa juste place —
qui en représenterait le dépassement plutôt que le
reniement pur et simple.

Il importe, enfin, de faire observer que l'orientation des recherches ethnographiques, qu'elle réponde
à un programme organisé ou soit abandonnée au
caprice individuel, se fait toujours selon l'idée qu'on

a, dans ce monde occidental auquel nous appartenons, de l'intérêt qu'il y a à examiner certains problèmes jugés par nous les plus urgents ou les plus
importants, pour des raisons très diverses qui peuvent être excellentes mais, jusque dans les meilleurs
cas, ne sont jamais que *nos* raisons. Il conviendrait
à ce propos de développer et de systématiser les
contacts entre ethnographes ayant leur port d'attache à Paris, par exemple, et les intellectuels des
pays colonisés ou semi-colonisés résidant à Paris :
hommes politiques, écrivains ou artistes, étudiants,
etc. L'on s'inspirerait, pour orienter les recherches,
des désirs exprimés par ces diverses catégories d'intellectuels, soucieux, pour ce qu'ils jugent être les
vrais besoins de leur pays, de voir analyser tel problème. Théoriquement, une telle intervention de
représentants des peuples colonisés dans la direction
des recherches les concernant ne serait que normale
dans un pays comme la France, qui admet (en
nombre, il est vrai, fort réduit) au sein de ses assem-
blées métropolitaines des mandataires élus de ces
mêmes populations. Pratiquement, si l'on observe à
quel point la politique de ce pays dont l'empire est
maintenant paré du titre d' « Union Française »
reste dans ses formes aussi bien que dans ses buts
une politique colonialiste (comme en témoignent
des faits tels que la répression sanglante et les pro-
cédés de basse police employés pour étouffer les
revendications malgaches, sans parler de l'opération
meurtrière et ruineuse pour les deux camps qu'est

la guerre du Viet-Nam, menée au mépris du grand
principe du droit des peuples à disposer d'eux-
mêmes), il est indéniable qu'on ne peut guère voir
plus qu'un vœu pieux dans le vœu formulé plus
haut. Au train dont vont les choses, on ne peut en
effet qu'estimer bien minimes, sinon tout à fait nulles
à moins d'un bouleversement complet, les chances
de voir s'élaborer officiellement cette ethnographie
que je souhaite, qui viserait, au premier chef, à
servir les intérêts (tels qu'eux-mêmes peuvent les
entendre) et les aspirations des peuples actuellement
colonisés. Dans les conjonctures présentes, force est
de constater bien au contraire que, s'il marque
ouvertement une solidarité entière avec l'objet de
son étude, l'ethnographe court dans de nombreux cas
le risque pur et simple de se voir privé de la possibilité même d'effectuer ses missions.

Du point de vue le plus étroitement national, il
est pourtant certain que, le régime colonial étant
un état de choses que tous (même ceux qui souhaitent
le voir se prolonger) s'accordent à reconnaître essentiellement temporaire puisque l'évolution économique,
sociale, intellectuelle, etc., liée à la colonisation
tend à mettre les masses des pays soumis à ce régime
en état de s'émanciper, la seule politique saine
consisterait à préparer cette émancipation de manière
à ce qu'elle s'opère avec le moins de dégâts possible
et à chercher, par conséquent, à la hâter plutôt qu'à
la freiner, vu qu'il n'est guère douteux qu'une politique qui tend à empêcher des peuples de s'éman-

ciper se retourne finalement contre la nation qui a visé à cet étouffement. En ce sens, une ethnographie dégagée de tout esprit directement ou indirectement colonialiste contribuerait probablement à assurer pour l'avenir, entre la métropole et ses anciennes colonies, un minimum de bonne entente sur le plan au moins des relations culturelles.

D'un point de vue moins étroit, l'on ne saurait omettre de rappeler que, vivant nous aussi sous la domination de forces économiques dont nous n'avons pas le contrôle, nous subissons une oppression et qu'on voit mal comment la construction d'un monde libéré de cette oppression pourrait se faire sans que tous ceux, colonisés ou non, qui supportent ses conséquences s'unissent contre l'ennemi commun que représente une bourgeoisie trop attachée à sa position de classe dominante pour ne pas chercher — sciemment ou non — à maintenir coûte que coûte un tel état d'oppression. En sorte qu'à les envisager non plus au niveau des minorités privilégiées mais au niveau des grandes masses, les intérêts des peuples qui se sont faits les promoteurs de l'ethnographie et ceux des peuples qu'ils étudient apparaissent, finalement, convergents.

Reste que, si l'ethnographe opère peut-être, du côté colonial, son sabordage en voulant parler trop franc, à vouloir prêter son concours éclairé aux peuples actuellement en lutte pour leur affranchissement il ne ferait peut-être, du côté colonisé, que jouer les mouches du coche, car la libération matérielle

— condition préalable à toute poursuite de vocation — ne peut s'obtenir que par des moyens plus
violents et plus immédiats que ceux dont, en tant
que tels, disposent les savants.

Tant qu'il n'aura pas décidé de travailler à sa
propre libération en participant à la lutte qui se
mène dans son propre pays, il est donc sûr que
l'ethnographe en proie au souci qui vient d'être
décrit ne cessera pas de se débattre dans ses contra-
dictions.

III

A TRAVERS
« TRISTES TROPIQUES »

Tristes Tropiques. Ce titre qui, de prime abord, peut sembler un clin d'œil aux amateurs d'exotisme répond, en fait, sans l'ombre d'une tricherie à l'objet qu'il désigne : un livre non seulement qui s'inscrit en faux contre la légende des tropiques à vie facile mais en lequel, à l'instar des essences dans la luxuriance d'une forêt chaude, de nombreux genres littéraires voisinent, puisque dans cet essai qui est tout aussi bien mémoires et relation de voyages on trouve, à côté de morceaux autobiographiques et de pages ethnologiques ou spéculatives enrichies de notations pittoresques, de portraits ou de descriptions en forme, quelques brefs poèmes de tournure épigrammatique (présentés, il est vrai, comme entre guillemets) et jusqu'au plan d'une tragédie ; un livre aussi dont la note dominante, au sein du foisonnement d'idées, est la mélancolie, bien qu'un humour acéré (à l'image d'une brousse à épineux) et la fraîcheur bucolique ne laissent pas d'y avoir

leur part. Que l'un des passages majeurs de cet
ouvrage essentiellement fondé sur l'expérience d'un
observateur soucieux d'objectivité rigoureuse soit un
hymne à Jean-Jacques Rousseau, il n'y a rien là de
paradoxal : tel celui qu'Emile Durkheim traitait
déjà en précurseur de la sociologie, l'auteur de
Tristes Tropiques ne se contente pas d'un humanisme
de raison pure mais cherche à prendre une vue
complète de l'homme à travers sa double existence
de produit de culture et de parcelle de nature ; dès
le principe, il se situe dans une perspective de totalité et, loin d'être simplement la sécrétion d'un
cerveau expert en sciences historiques et sociales,
son témoignage s'avérera l'un des plus significatifs
du romantisme nouveau que notre XXe siècle a vu
se développer sous l'égide de spécialistes aux vastes
ambitions — tels Marx et Freud — et qu'on peut
dire d'ordre *super-rationaliste,* en ce sens qu'il vise
à intégrer le sensible et le rationnel. Dans cette
libre et passionnée recherche, c'est tout naturellement que le récit, soit épique soit lyrique, et l'anecdote, voire même le calembour, prennent place
auprès du document d'enquête enregistré sur le vif
aussi bien que de l'inférence logiquement argumentée
car, pour saisir l'homme, il faut faire feu de tout bois
ainsi que le libre et passionné Rousseau fut des premiers à le montrer.

Ecrit apparemment à bâtons rompus et sans égard
aux unités spatiale ou temporelle (puisque l'auteur
nous transporte comme par tapis volant de la mer

à la savane, de la savane à la forêt, de la forêt à la ville ou vice versa, passant d'un premier type de misère tropicale qu'illustre l'Amazonie presque sans hommes à un second que représente l'Asie du Sud surpeuplée, juxtaposant plusieurs des voyages qu'il a faits et remontant de l'époque toute récente où le nouveau monde fut un refuge pour ceux que l'expansion du nazisme forçait d'émigrer jusqu'à l'époque où ce continent alors presque mythique faisait figure d'Eden aux yeux des découvreurs européens qui devaient saccager à tel point ses prestigieuses civilisations) cet ouvrage est, en vérité, strictement architecturé. Lorsque Claude Lévi-Strauss déclare qu'il a trouvé dans l'ethnographie, science qui a pour objet la connaissance des cultures humaines dans leur diversité de tous les lieux sinon de tous les temps, une « histoire qui rejoint par ses deux extrémités celle du monde et la mienne », ce qu'il indique en ces quelques mots c'est toute la trame de son livre. Presque au seuil, nous rencontrons en effet cette « intense curiosité » que le jeune Lévi-Strauss a eu de la géologie, science de la terre en tant que telle et discipline qui donne parfois la joie profonde d'assister à une sorte de fusion du temps et de l'espace quand on peut, par exemple, voir d'un unique regard les fossiles de deux âges que des myriades d'années séparent se présenter de part et d'autre de la suture des deux couches de terrain dont ils attestent l'énorme écart chronologique. Au terme de la méditation du philosophe mûri, et comme s'il était nécessaire qu'un au-delà de l'humanisme fît pendant à ce qui, en quelque sorte, était son en-deçà, nous décollons du plan humain pour toucher à l'astrophysique et à la biologie, quand l'auteur — en un saut vertigineux — envisage l'évolution des cultures vers l'uniformité comme un simple moment et cas particulier de la marche de l'univers dans le sens d'une définitive inertie, puis considère sa propre personne non comme un « je », mais comme un agrégat temporaire de cellules vivantes qui n'est lui-même qu'un élément du « nous » presque aussi précaire que constitue l'humanité à laquelle ce pseudo-je est intégré. Entre temps, et comme à la charnière des infinis où l'homme se perd, il y a Lévi-Strauss avec son passé d'agrégé de philosophie, sa vocation d'ethnologue, les groupes qu'il étudie en parcourant la zone que les tropiques définissent pour le géographe, les personnages singuliers avec qui à Paris ou ailleurs, il se trouve en contact et les problèmes humains à l'élucidation desquels il s'attache de toute son intelligence et de tout son caractère.

Dès l'ouverture (où le grand thème de la géologie éclate soudain comme un avertissement), un mouvement presque continu d'élargissement du champ et d'élévation du débat nous conduit de ce que l'auteur relate de sa formation personnelle, chapitre d'une histoire qui est proprement la sienne en même temps qu'elle éclaire sur celle de sa génération, jusqu'au point où, après avoir examiné ce que vaut le bouddhisme (tentative de compréhension totale la plus ancienne mais aussi la plus haute puisque le savoir y atteint la limite où il s'identifie au non-savoir) et après l'avoir confronté avec les autres grands systèmes que sont le christianisme, l'islam ainsi que le marxisme (dont, pour pessimiste que soit la tonalité générale de ce panorama, le bien-fondé à un certain niveau ne sera pas critiqué), il quitte le terrain de l'histoire proprement dite pour déboucher sur l'histoire du monde. Parvenu au bout d'un tour d'humanité qui certes ne l'aura pas fait sortir de lui-même mais qui l'aura mené d'un lui-même de pur accident, si l'on peut dire, à un lui-même qui sait embrasser l'universel, il conclut en posant comme bien suprême de l'homme à quelque société qu'il appartienne cette capacité qu'il a de momentanément « se déprendre » des dures contraintes de l'histoire par la saisie contemplative du lien qui unit aux autres éléments de la nature notre espèce engagée dans un « labeur de ruche » de façon presque constante. Au milieu de ce périple, il y a ce qui, pour le voyageur-philosophe, paraît avoir été une expérience cruciale : les relations qu'il a eues professionnellement avec plusieurs tribus indiennes du Brésil, sociétés où les conditions matérielles sont des plus rudimentaires mais où l'on est intégrale-ment des hommes parce qu'on n'y est pas étouffé par le nombre ni aliéné par les exigences d'une civi-lisation mécanique et que chacun y trouve un milieu à sa mesure.

Des quatre sociétés décrites dans cette partie proprement ethnographique qui constitue le cœur du livre, les deux premières offrent à Claude Lévi-Strauss l'occasion de deux brillantes démonstrations, effectuées comme au tableau noir. L'examen des peintures faciales et corporelles que chez les Caduveo les femmes exécutent traditionnellement et la comparaison de la structure de cette tribu avec celle de tribus voisines montrent comment un problème social peut être résolu par les intéressés sur le plan (comme onirique) de l'art, car il faut en définitive « interpréter l'art graphique des femmes caduveo, expliquer sa mystérieuse séduction et sa complication au premier abord gratuite, comme le phantasme d'une société qui cherche, avec une passion inassouvie le moyen d'exprimer symboliquement les institutions qu'elle pourrait avoir, si ses intérêts et ses superstitions ne l'en empêchaient ». Analyse conforme à l'enseignement général que vers le début de l'ouvrage l'auteur déclare avoir tiré de la géologie, du marxisme et de la psychanalyse, à savoir que « comprendre consiste à réduire un type de réalité à un autre ; que la réalité vraie n'est jamais la plus manifeste et que la nature du vrai transparaît déjà dans le soin qu'il met à se dérober. » De même, l'étude de la distribution des cases dans les villages bororo (sorte de projection topographique de la structure sociale) et celle du culte funéraire conduisent à cette autre vérité qui, par essence, est une vérité de dissipation de phantasme ou de levée de masque : « La représentation qu'une société se fait du rapport entre les vivants et les morts se réduit à un effort pour cacher, embellir ou justifier, sur le plan de la pensée religieuse, les relations réelles qui prévalent entre les vivants. » Il semble qu'on ne forcera pas la pensée de Claude Lévi-Strauss en avançant que s'il existe à la limite une vérité nue elle n'est que la vérité du vide, car si le travestissement est inhérent à toute vérité, la connaissance vouée à cheminer à travers une série infinie de démystifications, ne peut logiquement aboutir à une autre vérité que celle du non-savoir. « Tout effort pour comprendre, écrit-il en effet dans ses toutes dernières pages, détruit l'objet auquel nous nous étions attachés ; il réclame un nouvel effort qui l'abolit au profit d'un troisième, et ainsi de suite jusqu'à ce que nous accédions à l'unique présence durable, qui est celle où s'évanouit la distinction entre le sens et l'absence de sens : la même d'où nous étions partis. Voilà 2500 ans que les hommes ont découvert et ont formulé ces vérités. »

Encore que les chapitres consacrés aux Nambikwara puissent être regardés comme le moment *heureux* du livre (son moment idyllique, parce qu'il semble que le contact de cette population en laquelle il a pensé rencontrer « quelque chose comme l'expression la plus véridique et la plus émouvante de la tendresse humaine » lui a fourni une manière d'équivalent de ce *vert paradis des amours enfantines* à quoi Baudelaire rêvait nostalgiquement), Claude Lévi-

Strauss estime que sa recherche des formes élémentaires de la vie sociale est ici en échec à cause, en
quelque sorte, d'un dépassement du but qu'il s'était
proposé (par-delà l'intérêt directement scientifique de
l'entreprise) en allant chez les Nambikwara. Car
avec cette tribu qui le met en présence « d'une des
formes d'organisation sociale et politique les plus
pauvres qu'il soit possible de concevoir » et dans la
simplicité de laquelle il a cru trouver cet état dont
parle Rousseau « qui n'existe plus, qui n'a peut-être
point existé, qui probablement n'existera jamais et
dont il est pourtant nécessaire d'avoir des notions
justes pour bien juger de notre état présent », c'est
l'expérience sociologique elle-même qui se dérobe :
« J'avais cherché une société réduite à sa plus simple
expression. Celle des Nambikwara l'était au point
que j'y trouvai seulement des hommes. » Enfin, c'est
une autre déception qui attend l'enquêteur chez les
Tupi-Kawahib, abordés aux prix de multiples fati-
gues : « J'avais voulu aller jusqu'à l'extrême pointe
de la sauvagerie ; n'étais-je pas comblé, chez ces
gracieux indigènes que nul n'avait vus avant moi,
que personne, peut-être, ne verrait plus après ? Au
terme d'un exaltant parcours, je tenais mes sauvages.
Hélas, ils ne l'étaient que trop. Leur existence ne
m'ayant été révélée qu'au dernier moment, je n'avais
pu leur réserver le temps indispensable pour les
connaître. Les ressources mesurées dont je disposais,
le délabrement physique où nous nous trouvions mes
compagnons et moi-même — et que les fièvres

consécutives aux pluies allaient encore aggraver —
ne me permettaient qu'une brève école buissonnière
au lieu de mois d'étude. Ils étaient là, tout prêts à
m'enseigner leurs coutumes et leurs croyances et je
ne savais pas leur langue. Aussi proches de moi
qu'une image dans le miroir, je pouvais les toucher,
non les comprendre. »

Quelque irritants que soient les déboires auxquels
s'expose celui qui se voue corps et âme à la profession d'ethnographe afin de prendre par ce moyen
une vue concrète de la nature profonde de l'homme
— soit, en d'autres termes, une vue du minimum
social qui définit la condition humaine à travers ce
que les cultures diverses peuvent présenter d'hété-
roclite — et bien qu'il ne puisse aspirer à rien de
plus que mettre au jour des vérités relatives (l'at-
teinte d'une vérité dernière étant un espoir illusoire), la pire des difficultés qu'il affronte n'est pas
encore celle-là. Sous peine de vicier son enquête par
défaut d'objectivité, il est, en effet, dans l'obligation
d'adopter une position d'observateur impartial, détaché du système de valeurs qu'il tient de sa propre
culture aussi bien que détaché par rapport aux
cultures qu'il étudie. Cette attitude paraît devoir
entraîner pour lui une véritable « mutilation », puisqu'elle tend à lui interdire tout jugement comme
toute action tant dans la société à laquelle il appartient que dans celles sur lesquelles il travaille et à
lui imposer, en somme, de ne jouer aucun rôle dans
aucune, ce qui revient à l'empêcher d'assumer sa

condition d'homme. Or c'est l'étude ethnographique elle-même qui le tirera de cette situation positivement invivable. Elle lui apprendra en effet que toutes les sociétés « offrent certains avantages à leurs membres, compte tenu d'un résidu d'iniquité dont l'importance paraît approximativement constante » et que, nulle d'entre elles n'étant privilégiée à ce point de vue, la tâche ultime qui lui revient est de chercher à déterminer, en se servant de toutes ces cultures dont l'originalité vaut d'être respectée et sans choisir moralement entre telle autre ou la sienne, quelle est « la base inébranlable de la société humaine ». Dans ces conditions, il n'est pas condamné à rester suspendu dans le vide faute d'avoir trouvé un point d'application pratique à son activité : il ne peut, certes, s'attacher à agir sur les autres cultures pour les modifier (vu qu'une telle intervention, s'effectuant du dehors, serait plus ou moins destructive par définition) ; il ne peut pas non plus donner à sa propre société telle autre pour modèle (puisqu'aucune société, la sienne comprise, n'est fondamentalement bonne ou mauvaise) ; mais il contribuera à nous mettre en mesure d'utiliser la connaissance de l'*ensemble* des sociétés « pour dégager ces principes de la vie sociale qu'il nous sera possible d'appliquer à la réforme de nos propres mœurs », soit aux mœurs de l'unique société que nous puissions « transformer sans risquer de la détruire ; car ces changements viennent aussi d'elle, que nous y introduisons. »

Ainsi, pour restrictives que soient les limites assignées par Claude Lévi-Strauss à la possibilité d'un engagement de l'ethnographe et si fortes les réserves (c'est le moins qu'on puisse dire) qu'ici même comme en maints endroits du livre il formule à l'égard du progrès, il n'en laisse pas moins une porte ouverte à l'action. Les civilisations de tous styles renvoyées dos à dos et l'accroissement de notre emprise sur l'univers physique dénoncé comme payé par un assujettissement plus étroit puisque c'est notre esprit lui-même qui s'avère maintenant prisonnier du déterminisme et qu'il est donc dominé par ce qu'il a conquis, il semblait que fût irrémédiablement fermée toute perspective d'un avenir à la préparation duquel il vaudrait de se consacrer ; mais, par un tour dialectique bien caractéristique de sa manière, Claude Lévi-Strauss découvre une issue à l'instant même où le lecteur pouvait croire qu'il faisait de sa pensée des plus aiguës et des plus déliées un usage délibérément négateur : « Les zélateurs du progrès s'exposent à méconnaître, par le peu de cas qu'ils en font, les immenses richesses accumulées par l'humanité de part et d'autre de l'étroit sillon sur lequel ils gardent les yeux fixés ; en surestimant l'importance d'efforts passés, ils déprécient tous ceux qui nous restent à accomplir. Si les hommes ne se sont jamais attaqués qu'à une besogne, qui est de faire une société vivable, les forces qui ont animé nos lointains ancêtres sont aussi présentes en nous. Rien n'est joué ; nous pouvons tout reprendre. »

Chez les Nambikwara et chez les Tupi-Kawahib, Claude Lévi-Strauss n'aura peut-être pas trouvé ce qu'il cherchait en tant que sociologue, mais il aura vécu en confraternité avec des hommes. A l'inverse, dans des sociétés comme celles de l'Inde, qui s'est montrée capable de grandioses créations mais souffre comme d'une maladie de sa population trop dense (d'où le régime des castes, moyen de se sentir moins à l'étroit en refusant la qualité humaine à une partie de l'espèce), « l'écart entre l'excès de luxe et l'excès de misère fait éclater la dimension humaine ». Alors que l'Amérique indienne, malgré son délabrement, offre de séduisants exemples de groupes équilibrés ainsi qu'il dut en être à l'époque de la pierre polie (où l'homme vivait dans un état moyen, à égale distance du primitivisme et de notre âge conditionné par la mécanique), c'est un spectacle de démesure que donne cette portion du monde asiatique, image de ce qui nous attend s'il est vrai qu'une société devenue démographiquement pléthorique « ne se perpétue qu'en sécrétant la servitude » (ainsi que paraît le confirmer l'évolution de l'Europe depuis vingt ans) et si nous ne savons rien opposer à ce fléau qui se répand, « la dévalorisation systématique de l'homme par l'homme ». Tandis qu'en Amérique indienne Claude Lévi-Strauss découvre le reflet d'un passé plus harmonieux, c'est une anticipation inquiétante de notre futur que le Sud asiatique lui présente et tout se passe par conséquent comme si, pour le voyageur de *Tristes Tropiques*, les deux

grands types de déplacement qu'il a effectués matériellement dans l'espace étaient en corrélation avec
des déplacements imaginaires dans le temps, l'un en
arrière l'autre en avant. « Un voyage s'inscrit simultanément dans l'espace, dans le temps et dans la
hiérarchie sociale », écrit-il dans un de ses chapitres
préliminaires, en faisant observer qu'un lieu lointain n'est pas simplement exotique mais qu'il évoque
une certaine époque distincte de celle en laquelle
nous vivons et que notre standing y est également
modifié puisque nous y devenons presque toujours ou
plus riche ou plus pauvre selon que le coût de la
vie y est bas ou élevé relativement à nos ressources.
Loin d'être une simple occasion de dépaysement
géographique, le voyage ainsi conçu représente une
expérience à faces multiples et certainement l'une
des plus complètes qu'il soit donné de faire à un
individu conscient. En quelque lieu qu'elles soient
menées et sans qu'il y ait même nécessité de se
déplacer, ce sont des expériences de ce genre qui —
telle celle du *temps retrouvé* chez Marcel Proust —
paraissent constituer pour Claude Lévi-Strauss (dé-
tracteur des voyages ou, à tout le moins, de ce qui
est en eux voyage à proprement parler) les moments
privilégiés qui permettent à la vie d'avoir encore un
sens, bien que minée de tous côtés par le non-sens,
et qui sont à la fois les justificateurs et les cataly-
seurs de notre activité.

Poursuivre en géologue la ligne de contact entre
deux couches de terrain d'âges différents, revivre en

abordant une tribu indienne (quitte à constater finalement que le voyageur moderne n'est qu'un « archéo-
logue de l'espace, cherchant vainement à reconsti-
tuer l'exotisme à l'aide de parcelles et de débris »)
l'aventure des hommes du XVIᵉ siècle qui découvri-
rent le Nouveau Monde, assister dans la forêt brési-
lienne aux bals anachroniques où se rendent en de
coquettes parures les concubines le reste de l'année
loqueteuses des collecteurs de caoutchouc (besogneux
horriblement exploités), trouver sur un même autel
au pied des montagnes du Cachemire trois bas-
reliefs sculptés en des styles qui témoignent d'une
succession d'apports traditionnels (hindouisme, hellé-
nisme, bouddhisme), savoir en méditant sur notre
espèce « saisir l'essence de ce qu'elle fut et continue
d'être, en-deçà de la pensée et au-delà de la société » : expériences assurément distinctes et répondant à des stades divers de l'évolution de Claude
Lévi-Strauss mais qui ont ceci de commun qu'à la
manière de l'illumination proustienne elles sont toutes à quelque degré des expériences de mainmise sur
la coulée du temps. Lorsque, après être arrivé à
cette conclusion décourageante : « Quant aux créations de l'esprit humain, leur sens n'existe que par
rapport à lui et elles se confondront au désordre
dès qu'il aura disparu », Claude Lévi-Strauss — en
un brusque retour, voisin de celui d'Hamlet rap-
pelé à son devoir concret par le spectacle de l'armée
de Fortinbras marchant vers la tuerie — déclare :
« Pourtant, j'existe... » et opte pour ce *nous* que

nul ne peut récuser sans se réduire à rien, c'est à
des moments de cet ordre qu'il fait appel presque
aussitôt et en eux qu'il place l'unique chance de
l'humanité. Que peut être en effet la possibilité qu'il
accorde finalement à l'homme de « se déprendre »
en contemplant un minéral, respirant un parfum ou
échangeant un regard complice avec un animal fami-
lier, sinon celle de rejeter par intermittences le temps
chronométrique où s'inscrivent l'histoire et le travail, grâce à une plongée dans cette nature qui nous
entoure spatialement et qui nous baigne aussi dans
un temps qui se confond avec celui du mythe et de
la poésie ?

Qu'on acquiesce ou non à telles des thèses esquis-
sées dans ce livre complexe qui est (il faut le souligner) le mémorial d'une recherche et non pas un
exposé *ex cathedra,* qu'on juge ou non qu'en dépit
de l'affirmation de l'auteur comme quoi il se doit aux
hommes autant qu'à la connaissance il y est fait,
par rapport à l'action immédiate visant au mieux-
être matériel de tous, la part trop belle à une certaine
rêverie désenchantée, il reste qu'un tel témoignage
— par-delà sa qualité littéraire — est d'une valeur
capitale, serait-ce dans la seule mesure où des problèmes essentiels y sont posés de façon aussi vivante
que lucide et où, par sa richesse même, il provoque
à d'ardentes et (comme il sied) interminables contro-
verses. Car il n'est pas de pensée digne de ce nom
qui ne porte à la discussion.

IV

REGARD
VERS ALFRED METRAUX

Prononcée lors de la réunion qui se tint au Palais de l'Unesco, en hommage à Alfred Métraux, l'allocution dont le texte suit n'était qu'un signe d'amitié, qui n'indiquait en rien ce dont je suis redevable au disparu.

C'est en 1934, je crois bien, qu'Alfred Métraux et moi nous nous sommes rencontrés. Il rentrait d'un long séjour en Amérique du Sud et je venais d'accomplir mon premier voyage en Afrique noire. Pas encore diplômé, je n'étais qu'un novice en matière d'ethnographie, voire même un franc-tireur, puisque c'étaient la poésie et le désir de secouer le joug de notre culture qui m'avaient orienté vers ces études, et non le goût de la science comme telle. Ethnologue déjà reconnu, Métraux ne m'en traita pas moins de manière fraternelle. Lui qui, à l'Ecole des Chartes, avait noué avec Georges Bataille les liens d'une amitié qui ne se distendrait pas quand l'un serait devenu un grand savant et l'autre un grand écrivain, il devait être heu-

reux de connaître l'un des plus proches compagnons de son ancien condisciple, et non moins heureux de pouvoir parler avec un néophyte dont la formation, essentiellement « surréaliste », différait assez profondément de la sienne pour qu'il pût y trouver un complément à celle-ci. De mon côté, j'étais séduit par l'ouverture d'esprit dont témoignait ce spécialiste, par l'humeur voyageuse qui l'incitait à se dépayser intellectuellement aussi bien que matériellement, par sa curiosité profondément vivante, par son sens aigu du burlesque et par les mouvements soudains qui montraient combien était illusoire son allure plutôt puritaine de fonctionnaire correct.

Dans le cadre du métier où il était mon aîné par la qualification bien qu'un peu plus jeune par l'âge, j'ai toujours bénéficié de son soutien — proche ou lointain — et des leçons que je pouvais tirer de son expérience aux multiples facettes. D'autre part, je sais gré à cet ethnologue totalement dévoué à sa profession de n'avoir rien tenté, bien au contraire, pour m'amener à sacrifier la littérature à la science. Nul doute que pour lui les deux domaines étaient connexes et qu'il portait, par-delà les distinctions de disciplines, un intérêt passionné à tout ce qui peut aider les hommes à mieux connaître les choses et à mieux se connaître eux-mêmes.

C'est sur le plan d'un humanisme actif fondé sur une rigoureuse information qu'après de longues années d'affectueuse entente nous en vînmes à effectivement coopérer, et cela sous le signe de l'anti-

*racisme, cause dont Métraux fut un opiniâtre militant.
Parurent ainsi, sous l'estampille de l'Unesco,* Race et
civilisation, *qu'il m'avait demandé pour la série « La
Question raciale devant la Science moderne », puis,
avec une préface de lui,* Contacts de civilisations en
Martinique et en Guadeloupe, *fruit d'une mission
qu'il m'avait fait confier pour examiner le problème
des rapports entre blancs et gens de couleur dans ces
deux Antilles que lui-même il visiterait par la suite,
en un voyage de pur loisir.*

*Il est certain en outre que les nombreux entretiens
professionnels et para-professionnels que j'ai eus avec
lui, tant à Paris qu'en Haïti où nous nous trouvâmes
ensemble en 1948, m'ont beaucoup aidé à voir plus
clair sur ce sujet qui fut, scientifiquement et humainement, l'une de nos préoccupations communes : les
cultes à base de possession, dont le Zâr éthiopien et
le Vaudou haïtien nous avaient, respectivement, offert
deux beaux exemples. Peu d'années avant qu'il choi-
sisse de couper court à ses tribulations grâce à une
dose mortelle de drogue, j'accueillais dans la collection « L'Espèce humaine » — où avait déjà paru
son* Ile de Pâques — *l'ouvrage que Métraux a
consacré au Vaudou. Or, ce n'est pas seulement au
fait préjudiciel qu'il était l'auteur du livre que je dois
ce plaisir : avec le Dr Paul Rivet et Georges-Henri
Rivière, c'est Métraux qui, avant la dernière guerre,
avait fondé cette collection dont la responsabilité
m'était échue, et c'est à lui essentiellement qu'il*

*revient d'en avoir établi le premier programme et
déterminé le caractère.*

*Tout cela, pourtant, est peu de chose au regard de
ce que Métraux m'a fourni, non seulement par
l'étendue et la diversité d'un savoir jamais alourdi de
pédanterie, mais par son contact personnel. Qu'il me
suffise de dire que son vieil ami Bataille et lui sont des
quelques-uns qui m'ont appris que rien ne vaut autant
que cet alliage réalisé en peu d'individus : une violente
ardeur à vivre jointe à une conscience impitoyable de
ce qu'il y a là de dérisoire.*

En relisant, pour essayer de mieux lui rendre
hommage, les quelques livres que je possède d'Alfred
Métraux, j'ai retrouvé, en tête de mon exemplaire
du *Vaudou haïtien,* une dédicace. Cette dédicace,
je l'avais oubliée — je l'avoue — mais, depuis que
je l'ai relue, elle me poursuit à tel point que je
m'étonne aujourd'hui de ne pas en avoir perçu immédiatement toute la résonance : « A Michel, en souvenir de nos errances, ces naïves diableries qui nous
consolent. »

En 1948, faisant un court séjour en Haïti, j'y
avais retrouvé mon très ancien ami Métraux et le
fait est qu'à Port-au-Prince et dans ses alentours —
sans même parler du saut que nous avions fait jusqu'au repaire des flibustiers d'autrefois, l'île de la
Tortue — nos errances avaient été nombreuses.
Pendant plusieurs semaines, Métraux m'avait emmené
dans les sanctuaires vaudou, soit pour rendre visite

aux amis qu'il avait parmi les vaudouïsants, soit pour assister à des séances au cours desquelles nous étions les témoins, tout à la fois intéressés et émerveillés, de scènes de possession. Ces « naïves diableries », qui nous apparaissaient telles pour la simple raison que nous n'y croyions pas, n'en étaient pas moins des spectacles passionnants pour nous. Non seulement c'était une riche matière d'enquête, mais il était émouvant de voir ainsi des gens qui pendant quelques heures oubliaient leur condition généralement misérable en incarnant les dieux qu'ils révéraient. Pour les Occidentaux plus ou moins noués que nous restions, c'était aussi une vue réconfortante que celle de ces cérémonies admirablement ordonnancées mais où l'ivresse mythologique de la transe se taille la part du lion.

Ce qui me frappe maintenant dans les quelques lignes qu'Alfred Métraux avait écrites pour moi sur un exemplaire du grand livre qu'est le *Vaudou haïtien*, c'est leur extrême mélancolie.

« Nos errances ». C'est ainsi qu'il assimilait à une sorte de vagabondage des va-et-vient que justifiaient, en somme, les exigences de notre profession. Cela comme si le thème de l'errance ou de l'impossibilité de tranquillement se fixer avait été pour lui un thème majeur, le thème répondant à ce besoin d'être ailleurs qui, par-delà sa curiosité de savant, le poussa à effectuer tant de voyages et à choisir pour champ de ses observations tant de terrains différents : Amérique du Sud, Polynésie, Antilles, Afrique.

« Ces naïves diableries. » Il est certain que dans ces mots il s'exprime un regret, quelque chose comme une nostalgie de ce que Baudelaire a nommé *le vert paradis des amours enfantines*. Si, en face des cultes à base de possession, le rationalisme interdit toute autre attitude que celle de l'incrédule, n'est-ce pas dommage et ne vaudrait-il pas mieux, plus naïfs, entrer de plain-pied dans ces merveilles cousues de fil blanc ?

Des diableries « qui nous consolent ». A défaut d'un système grâce auquel nous pourrions vivre une mythologie, n'est-il pas tant soit peu consolant de savoir que sous d'autres climats il y a des hommes assez accueillants — comme sont ordinairement les vaudouïstes haïtiens — pour admettre que nous prenions part à leurs rites, — ces rites dont la beauté et les sortes de numéros graves ou bouffons dont ils sont l'occasion nous dédommagent (sur un plan qui pour nous, il est vrai, n'est que celui du jeu) de ce que notre vie quotidienne a trop souvent d'étouffant ?

Un errant, un homme qui sait de quoi il retourne mais n'en est pas plus fier, quelqu'un au plus profond de qui gît un chagrin dont il faudrait le consoler, tel apparaît celui qui — en une dizaine de mots et très probablement sans y songer — a pu si extraordinairement se confesser.

Revenant à ce que j'ai ressenti en relisant Alfred Métraux, je constate que ce qui fait, outre leur haute valeur documentaire, le prix de ses écrits, c'est la relation *affective* qu'on perçoit toujours entre lui-même et ce qu'il étudie : les lieux aussi bien que les hommes, jamais confinés dans le simple rôle d'objets d'observation ; le passé aussi bien que le présent, quand Métraux s'attache aux légendes ou aux tragiques actions dont certaines terres sont auréolées puis les suit jusque dans leurs fâcheuses conditions d'aujourd'hui.

Dans les plus connus de ces ouvrages, l'objet d'étude est envisagé dans une perspective des plus larges qui embrasse à la fois toute la diversité de l'objet même, l'histoire avec un grand H ainsi que l'historiographie, sans compter sa propre histoire et son propre jugement à lui, Alfred Métraux, qu'il ne dédaigne pas de faire intervenir comme si — par intuition avant même de le savoir par culture — il avait toujours été persuadé qu'il n'est aucune observation qui ne soit un rapport entre quelqu'un qui regarde et quelque chose de regardé.

Le Pérou est pour lui inséparable du mythe de l'El Dorado et de toutes les scènes cruelles qui s'y sont déroulées tant à l'époque où régnaient les Incas qu'à celles des conquistadores ; mais ces prestiges du passé exercent sur lui une fascination suffisante pour qu'il ne se résigne pas à tirer le trait, et c'est par l'évocation d'une renaissance possible de la puissance inca qu'il conclut le livre qu'il a consacré au vieil empire andin.

L'île de Pâques est cette île dont Métraux a entendu parler quand il avait douze ans, cette île où les voyageurs qui l'ont visitée avant lui ont eu leurs aventures ou leurs mésaventures, cette île où lui-même a rencontré un certain nombre de personnes, originaires ou autres, qui ont été pour lui — ainsi qu'il se devait — des instruments d'information mais autre chose aussi que ces instruments : des êtres vivants qu'il nous montre comme tels, en nous donnant l'illusion que nous les avons connus nous-mêmes.

Il en va de même quand il parle des adeptes du vaudou haïtien qui ont été ses informateurs et de leurs lieux de réunion, décrits comme des endroits où il a eu ses habitudes et où, somme toute, il se sentait chez lui.

Une anecdote personnelle — que je prendrai la liberté de raconter — me paraît montrer clairement le souci qu'avait Alfred Métraux de dépasser la pure description scientifique pour atteindre à quelque chose de sensible et de vivant. Alors que nous étions ensemble à Port-au-Prince, passant le plus clair de notre temps à assister à des séances vaudou, dans des quartiers populaires d'où nous revenions généralement à pied, assez tard dans la nuit, Métraux me demanda une fois — comme quelqu'un qui est en quête d'un secret et qui compte sur son interlocuteur pour le lui révéler — comment il y aurait moyen de rendre compte exactement de ce qu'étaient ces rues que si souvent nous parcourions et de l'aspect de leurs maisons. Je crois l'avoir un peu déçu en lui répondant que j'étais, à ce sujet, aussi embarrassé que lui et que je ne voyais pas, moi non plus, à l'aide de quelle formule on pourrait rendre vérita-

blement perceptibles et présentes ces rues et ces maisons pour ceux qui ne les auraient jamais vues. Un
tel souci de la part de Métraux n'était pas seulement
un souci de spécialiste avide de précision, mais un
souci d'ordre proprement *poétique :* ne pas se contenter de décrire les choses mais, les ayant saisies dans
toute leur réalité singulière, les faire vivre sous les
yeux de celui qui vous lit.

J'admire donc chez Alfred Métraux qu'il ait été,
en même temps qu'un observateur scrupuleux et
qu'un homme dont la vaste culture ne laissait pas
d'avoir ses recoins pittoresques, ainsi qu'un ethnologue conscient de tous les devoirs humains impli-
qués par sa science, ce que j'appelle un poète. J'entends par là, non point tellement quelqu'un qui écrit
des poèmes, mais quelqu'un qui voudrait parvenir à
une absolue saisie de ce en quoi il vit et à rompre
son isolement par la communication de cette saisie.
Peut-être Alfred Métraux a-t-il atteint, paradoxale-
ment, une plénitude de ce genre quand il s'est
endormi, tout seul, dans un lieu retiré de la vallée
de Chevreuse.

V

COMMUNICATION
AU CONGRES CULTUREL DE LA HAVANE

Du 4 au 11 janvier 1968 s'est déroulé à La Havane un Congrès des intellectuels du monde entier en vue de discuter les problèmes de la culture dans les « pays sous-développés ». Les notes qui suivent, données ici dans leur état originel ou presque, sont les notes dont j'ai utilisé la plus grande partie pour ma communication à ce Congrès : Réflexions sur la recherche scientifique, les études sociologiques et la création artistique dans la formation de la culture d'un pays sortant du sous-développement.

Nécessité d'un progrès technique aussi rapide que possible, question de vie ou de mort pour un pays indépendant mais encore « sous-développé » :

> améliorer les conditions de vie ; se mettre en état de résister aux pressions et aux attaques de l'impérialisme.

Introduire, donc, les techniques les plus modernes dans tous les domaines et — sans exclure la coopération de spécialistes étrangers, au moins durant une période transitoire — former les cadres qu'exige l'application de ces techniques.

Obligation, toutefois, de tenir compte de l'urgence plus ou moins grande des besoins et de faire, il va de soi, un usage judicieux des techniques qu'on estimera utile d'introduire. Cela implique une connaissance approfondie des conditions locales et entraîne l'organisation de recherches systématiques qui auront un double caractère :

1° Examen des conditions géographiques, climatiques, etc., afin de déterminer :

a) s'il est opportun ou non d'introduire la technique en question (exemple très simple : nocivité d'un emploi inconsidéré de la charrue sur certains terrains africains où une couche assez mince d'humus recouvre une couche stérile de latérite) ;

b) dans quelle mesure il est possible, par exemple, de procéder à de nouveaux types de culture ou d'élevage et quels travaux ou précautions, éventuellement, sont nécessaires pour que cela devienne possible.

2° Etude du milieu humain appelé à recevoir la technique nouvelle, milieu dont en maints cas les habitudes se trouveront assez bousculées pour qu'une adaptation soit nécessaire et qu'il faille imaginer des solutions.

(Par exemple, l'implantation d'une industrie posera, non seulement des problèmes d'enseignement technique, mais des problèmes de logement, à la fois matériels et sociaux, parce que les intéressés, s'ils sont des paysans vivant en habitat dispersé, accepteront plus ou moins bien — quelle que soit leur confiance en la Révolution — de passer à l'habitat concentré.)

Cette *étude des conditions locales,* objet préjudiciel de recherche, n'a pas à être menée en fonction seulement de l'introduction éventuelle de techniques nouvelles. Elle doit avoir également pour but de donner une connaissance complète des ressources du pays, afin qu'il puisse en être tiré parti. Vaste programme dont l'exécution présentera, d'ailleurs, l'intérêt d'être un stimulant pour les chercheurs qui en seront les agents et une raison pour eux de rester sur place au lieu de se laisser aspirer par les pays impérialistes.

Double caractère aussi de cette étude :
> ressources naturelles,
> ressources culturelles.

1° Prospection de toutes les richesses — minérales, végétales, animales — susceptibles d'être exploitées, recherche qu'ont généralement négligée les colonisateurs, soucieux des seuls produits qui les intéressaient. Cette prospection préalable à une mise en valeur ne peut s'effectuer pleinement que dans le cadre révolutionnaire et dès lors qu'il s'agit :

a) d'utiliser *tout* ce qui peut être utile à *tous,* au lieu de s'attacher seulement à ce dont une classe privilégiée pourra tirer profit ;

b) de faire feu de tout bois pour lutter contre l'impérialisme, en sorte que la Révolution apparaît ici comme une incitation directe à la recherche. Pour faire face à la « recherche-développement » poussée si loin par l'impérialisme américain, promouvoir — à côté d'une recherche du type le plus moderne — une sorte de bricolage ou de guérilla de la recherche, de même que contre un immense déploiement d'armes perfectionnées on use — en même temps que, bien entendu, de celles-ci dans toute la mesure où on le peut — des plus élémentaires moyens du bord (ex. : ingéniosité extraordinaire dont, à cet égard, les Vietnamiens font preuve dans la guerre même). Cette recherche purement locale, visant à utiliser jusqu'à la moindre ressource, est un moyen de tenir contre toute espèce de blocus et représente, en outre, une extension du savoir humain.

2° Par le moyen de la sociologie et de l'ethnologie, prospection de toutes les richesses qui dérivent directement des hommes et de leur vie en société, richesses culturelles qui, en tant que telles, devraient être récupérées (fût-ce sous des formes différentes) dans la culture nouvelle que la Révolution tend à instaurer. La Révolution, dans la conception marxiste, est en effet un élargissement, un dépassement et non une table rase. Maints éléments traditionnels sont parfaitement valables, et il serait souhaitable qu'au lieu de disparaître ou d'être maintenus artificiellement sous forme de folklore plus ou moins pittoresque mais désormais sans vie (à peu d'exceptions près, telle celle du Carnaval, resté très vivant en maints lieux des Antilles et de l'Amérique du Sud) ils soient orientés vers des buts nouveaux et intégrés au contexte révolutionnaire. De nombreux exemples d'insertion d'éléments de cette espèce dans un contexte neuf pourraient être cités :

— rationalisation chinoise de l'acupuncture et de la vieille pharmacopée ;

— actuels usages médicaux du curare, primitivement poison de flèches des Indiens de l'Amérique du Sud ;

— le *yoga* indou, débarrassé de tout contexte mystique, a donné la relaxation, l'une des méthodes maintenant le plus fréquemment employées en psychothérapie.

Freud a non seulement utilisé la mythologie de la Grèce antique (Œdipe) mais, analysant le contenu des rêves alors que l'on n'en étudiait guère que les mécanismes, il est revenu à sa manière aux vieilles oniromantiques attachées à déceler la signification des rêves, dans un but divinatoire.

Noter, sur le plan médical également, les analogies que le psychodrame, couramment employé en psychothérapie sous des formes diverses, présente avec l'espèce de théâtre vécu auquel donnent lieu les cultes à base de possession si répandus en Afrique, aux Antilles, au Brésil et en d'autres parties de l'Amérique du Sud.

Enfin, ne pas oublier, sur le plan artistique, que le jazz et maintes autres musiques de danse, qui jouent aujourd'hui un rôle énorme dans les loisirs, tirent une grande part de leur origine des musiques de l'Afrique noire traditionnelle.

A l'ethnographie comme à l'histoire et à l'archéologie établies de l'extérieur dans le cadre du colonialisme, opposer une ethnographie, une histoire et une archéologie « locales », afin de :

1° faire prendre au peuple conscience de ce qui lui appartient en propre et, cette originalité lui étant ainsi découverte par les siens et non par des étrangers plus ou moins condescendants, le débarrasser de son éventuel complexe d'infériorité et de sa tendance à sous-estimer sa propre culture par rapport à celle qui lui vient du colonisateur et est devenue plus ou moins celle de la classe dominante ;

2° quant à la connaissance en général, compléter l'histoire et l'ethnographie classiques par un deuxième volet, où les mêmes choses seront décrites du point de vue de l'autre partenaire, jusqu'alors demeuré muet ;

— cela tendant, non pas à développer un orgueil étroitement national, mais à rétablir la perspective faussée par l'ethnocentrisme inhérent à l'impérialisme : montrer au peuple intéressé la juste place qu'il occupe dans la culture et dans l'histoire humaines et, de ce fait, quel apport peut être le sien dans la civilisation communiste.

La culture de l'homme désaliéné, à même enfin de mettre en œuvre toutes les possibilités de notre espèce et de permettre à chaque homme et à chaque femme d'user sans aucune entrave de son intelligence et de son corps, devrait être une *culture intégrale,* synthétisant toutes les acquisitions humaines sans que rien de valable soit laissé de côté. Il faudrait donc, en principe, que viennent se fondre en elle et se trouvent reprises à un autre niveau toutes les cultures existantes, chacune de celles-ci, même la plus humble, excellant sur un certain point (habileté, par exemple, des Pygmées pour se guider dans la forêt ; aptitudes au rythme dans les sociétés noires ; techniques de matrise de soi et de méditation, très développées chez maints peuples asiatiques ; grandes occasions de « se défouler » que fournissent les fêtes dans beaucoup de sociétés non industrialisées ; etc.).

Si, tactiquement (autrement dit : dans l'immédiat), un peuple placé dans des conditions de sous-développement doit se développer techniquement et s'équiper au plus vite, il ne faut pas perdre de vue que, stratégiquement (je veux dire : quant au but dernier qu'est l'avènement de l'homme désaliéné ou homme intégral, but que la Révolution vise à longue échéance), il est souhaitable que son effort d'alignement technique avec les peuples aujourd'hui plus favorisés à cet égard n'aboutisse pas à la disparition totale de ce qui constitue son originalité. Il serait donc utile, dans chaque cas particulier, d'examiner comment on pourrait procéder pour que la liquidation rapide de l'état dit « sous-développé » — transformation essentiellement technique et économique mais qui ne peut s'opérer sans une refonte révolutionnaire de la société et, à elle seule, constituerait d'ailleurs un profond bouleversement de la culture locale — se paie par le moins possible de pertes irréparables à l'échelon de l'homme désaliéné, lequel, aussi libre et doté d'immenses capacités qu'on puisse l'envisager, ne pourra tout de même pas tout ré-inventer.

Grâce aux enquêtes ethnologiques, au cinéma, aux enregistrements sonores et à la collecte méthodique d'objets on peut, de toute manière, constituer des *archives* qui, à tout le moins, témoigneront de ce qu'étaient les cultures désormais périmées.

[...] Héritage social, qui se transmet de génération en génération et que chacun reprend à son compte en le modifiant plus ou moins, la culture n'est pas une chose figée mais une chose mouvante. Par tout ce qu'elle comporte de traditionnel, elle se rattache au passé, mais elle a aussi son avenir, étant constamment à même de s'augmenter d'un apport inédit ou, inversement, de perdre un de ses éléments, et cela, du fait même qu'elle se trouve, les générations se succédant, acceptée ou contestée à tout moment par de nouveaux venus à chacun desquels elle fournit une base de départ vers les buts d'ordre individuel ou collectif qu'il s'assigne personnellement. D'une culture qui serait à jamais fixée, on pourrait dire qu'elle serait quelque chose comme une langue morte. Une société qui tient à rester vivante ne peut donc pas se contenter d'un effort d'enseignement, visant à faire de tous ses membres des gens aussi « cultivés » que possible, au sens étroit du terme, et des agents hautement qualifiés pour les travaux en cours. Elle doit impulser au maximum la recherche et la création.

Dans un pays encore sous-développé, il va de soi que l'une des tâches les plus urgentes est l'alphabétisation et la diffusion du savoir par tous les moyens possibles. Toutefois, ce n'est là qu'une partie du travail, celle qui consiste à faire connaître les acquis et qui concerne, en somme, le *passé*, le déjà fait de la culture, alors que celle-ci doit être envisagée aussi dans son *devenir* et doit d'autant plus impérativement être envisagée sous cet angle que la Révolution, en délivrant l'humanité des diverses formes de clivage liées à l'exploitation de l'homme par l'homme, ouvre à la culture des perspectives illimitées, qu'il importe de ne pas gâcher.

Dire qu'il faut pousser au plus loin la recherche scientifique, c'est, il me semble, enfoncer une porte ouverte et je crois que l'activité déployée en ce sens par les Etats-Unis pour augmenter leur puissance montre qu'il n'est pas même besoin d'être révolutionnaire pour être d'accord là-dessus.

Un point plus litigieux est la question de l'impulsion à la création littéraire et artistique, car si, dans le domaine des sciences, il est aisé de comprendre que la recherche appliquée n'est pas seule à devoir être encouragée, ses progrès étant liés à ceux de la recherche pure, il peut sembler que, dans le domaine des lettres et des arts, ce qui est pure recherche n'est qu'un luxe dont la Révolution, aux prises avec de graves urgences, peut fort bien se passer.

Par définition, la Révolution appelle un art et une littérature révolutionnaires, soit quelque chose d'autre qu'un art et une littérature tendant au maintien du *statu quo* ou visant au pur divertissement. Mais la question se pose de savoir ce que l'on doit entendre par art et littérature « révolutionnaires » :

— un art et une littérature immédiatement utiles à la Révolution (art et littérature d'ordre revendicatif ou d'ordre didactique donnant, en somme, des leçons de Révolution et servant à la propagande) ?

— un art et une littérature révolutionnaires dans leur propre domaine (en rupture violente avec l'académisme, qu'on peut définir comme la persistance purement mécanique de formes qui se sont vidées du contenu vivant qu'elles ont pu avoir à une certaine époque) ?

Sans doute aucun, la Révolution a besoin d'enseigner, et d'assurer sa propagande ; il lui faut donc un art et une littérature pour cela. Nécessité tactique. Encore ne faut-il pas sous-estimer la capacité de compréhension des masses et s'imaginer que seuls sont à leur portée un art et une littérature au rabais. Dans la mesure, d'ailleurs, où la compréhension de cet art et de cette littérature n'exige aucun effort de la part du spectateur ou du lecteur, ils flattent la paresse d'esprit et manquent à leur mission éducative. Des poètes tels que Maïakovski et, de nos jours, Aimé Césaire ont montré qu'on peut écrire des œuvres directement révolutionnaires sans, pour autant, se faire « vulgarisateur ».

Si la Révolution appelle un art et une littérature révolutionnaires par leur signification immédiate, il ne faut pas que cette exigence tactique soit satisfaite au détriment de la stratégie et qu'on oublie que, pour être totalement révolutionnaires, autrement dit, pour répondre à tous les besoins de la Révolution, un art et une littérature ne doivent pas simplement viser à exalter, propager ou orienter l'esprit révolutionnaire, mais tendre, au moins par certains de leurs aspects, à transformer d'ores et déjà en préfiguration du futur « homme intégral » l'homme d'aujourd'hui qui commence à peine à se défaire de ses chaînes. D'où la valeur révolutionnaire de toutes les œuvres qui tendent à ruiner les stéréotypes rassurants sur lesquels l'homme aliéné croit pouvoir se fonder, soit qu'elles bouleversent de fond en comble la vision que l'on a du monde (Picasso), soit qu'elles donnent une conscience plus brûlante de la condition humaine (Kafka), soit qu'elles découvrent à l'homme et à la femme les ambiguïtés et les doubles fonds de leurs désirs (Bataille).

Travailler sans directives données de l'extérieur, sans idées préconçues — ou presque — et comme s'il allait à la découverte, c'est sans doute le meilleur moyen pour l'artiste ou l'écrivain d'échapper aux stéréotypes et de faire ainsi œuvre vraiment authentique et créatrice. Pour le créateur, il ne s'agit pas d'accomplir un « chef-d'œuvre », — notion qui se réfère à l'époque ancienne où, pour être reçu maître dans une corporation, il fallait faire ses preuves d'habile artisan en exécutant une œuvre reconnue proprement magistrale. Cette notion garde encore un sens en société capitaliste, celui d'œuvre digne par excellence d'être acquise par un amateur ou par un musée, mais elle ne peut être admise en société révolutionnaire, puisqu'elle suppose que l'œuvre est traitée comme une denrée susceptible d'être plus ou moins recherchée. Pour le créateur, il s'agit toujours d'expérimenter et de s'aventurer : quand il commence un travail, il ne sait pas exactement où cela mènera et c'est, justement, pour savoir où cela le mène qu'il travaille. Très précisément, c'est cette façon d'avancer comme on débroussaille à coups de machette qui s'appelle « créer ».

En matière d'art et de littérature la Révolution se doit donc, non seulement de laisser toute liberté aux artistes et aux écrivains en se bornant à leur demander de remplir comme les autres leurs devoirs de révolutionnaires, mais elle doit faciliter l'expérimentation au maximum. Dans un pays où l'impérialisme (sous forme coloniale ou néo-coloniale) a poussé à l'extrême l'aliénation des individus en surimposant à leur culture propre une culture étrangère, pays où plus que partout ailleurs on est à la recherche de soi-même, la voie doit être ouverte aussi largement que possible à la libre expérimentation, seul moyen d'échapper à ce double danger : imiter les modèles « dernier cri » fournis par l'extérieur ou, à l'inverse, s'inspirer des modèles traditionnels avec l'intention délibérée d'aboutir à un art « national », — solutions fausses à un égal degré, puisqu'elles consistent l'une comme l'autre à partir de stéréotypes et ne peuvent donc conduire qu'à l'inauthenticité.

Sur le plan de l'éducation, il semble que pour ce qui concerne l'art et la littérature il faille envisager, dès que les conditions le permettent, de nombreuses campagnes d'information, selon un programme conçu de manière assez largement universaliste pour que n'en soient exclus ni les arts et les littératures orales (souvent très riches) des peuples que le monde capitaliste qualifiait naguère encore de « primitifs », ni les formes les plus audacieuses de l'art et de la littérature d'aujourd'hui. Que les artistes et écrivains soient informés, sans aucun dirigisme. A eux de trouver leur chemin, *à partir* des connaissances qui leur auront été ainsi données et, éventuellement, *contre* ces connaissances.

Dans le domaine artistique et littéraire, un créateur ne peut pas être un homme satisfait de la culture existante. Ce qui le pousse à la recherche, c'est le besoin de rompre avec ce qui existe et de faire autre chose. De sorte qu'une société, même communiste, ne peut prendre des mesures visant à l'« encourager », car cela tendrait *ipso facto* à le domestiquer. Elle ne peut que lui garantir l'exercice de son absolue liberté d'investigation. Cela, sans réticences, et en considérant que ces travaux effectués en toute liberté ne peuvent qu'aider la Révolution dans sa marche vers la totale liberté.

NOTE BIBLIOGRAPHIQUE

Race et civilisation. Paris, Unesco (« La Question raciale devant la science moderne »), 1951.

L'Ethnographe devant le colonialisme. In « Les Temps modernes », 6ᵉ année, n° 58, août 1950, p. 357-374.

A travers « Tristes Tropiques » [*de Claude Lévi-Strauss*]. In « Cahiers de la République », n° 2, 1956, p. 130-135.

Regard vers Alfred Métraux. Allocution prononcée au cours de l'hommage à A. Métraux, Palais de l'Unesco, 17 juin 1963. In « Mercure de France », n° 1200, oct. 1963, p. 411-415. Repris, augmenté d'un préambule, dans « L'Homme », t. 4, n° 2 (In memoriam Alfred Métraux), mai-août 1964, p. 11-15.

Communication au Congrès culturel [*de La Havane*]. Notes reproduites presque intégralement dans « Les Lettres Nouvelles », mars-avril 1968, p. 104-112.

TABLE

DU MÊME AUTEUR

tel

114. Jürgen Habermas : *Profils philosophiques et politiques*.
115. Michel de Certeau : *La Fable mystique*.
116. Léonard de Vinci : *Les Carnets, 1*.
117. Léonard de Vinci : *Les Carnets, 2*.
118. Richard Ellmann : *James Joyce, 1*.
119. Richard Ellmann : *James Joyce, 2*.
120. Mikhaïl Bakhtine : *Esthétique et théorie du roman*.
121. Ludwig Wittgenstein : *De la certitude*.
122. Henri Fluchère : *Shakespeare, dramaturge élisabéthain*.
123. Rémy Stricker : *Mozart et ses opéras*.
124. Pierre Boulez : *Penser la musique aujourd'hui*.
125. Michel Leiris : *L'Afrique fantôme*.
126. Maître Eckhart : *Œuvres (Sermons-Traités)*.
127. Werner Jaeger : *Paideia (La formation de l'homme grec)*.
128. Maud Mannoni : *Le premier rendez-vous avec le psycha-
     nalyste*.
129. Alexandre Koyré : *Du monde clos à l'univers infini*.
130. Johan Huizinga : *Homo ludens (Essai sur la fonction sociale
     du jeu)*.
131. Descartes : *Les Passions de l'âme* (précédé de *La Pathétique
     cartésienne* par Jean-Maurice Monnoyer).
132. Pierre Francastel : *Art et technique au XIXᵉ et XXᵉ siècles*.
133. Michel Leiris : *Cinq études d'ethnologie*.
134. André Scobeltzine : *L'art féodal et son enjeu social*.
135. Ludwig Wittgenstein : *Le Cahier bleu et le Cahier brun*
     (suivi de *Ludwig Wittgenstein* par Norman Malcolm).
136. Yves Battistini : *Trois présocratiques (Héraclite, Parménide,
     Empédocle)* (précédé de *Héraclite d'Éphèse* par René Char).
137. Étienne Balazs : *La bureaucratie céleste (Recherches sur
     l'économie et la société de la Chine traditionnelle)*.
138. Gaëtan Picon : *Panorama de la nouvelle littérature française*.
139. Martin Heidegger : *Qu'est-ce qu'une chose ?*
140. Claude Nicolet : *Le métier de citoyen dans la Rome répu-
     blicaine*.

*Ouvrage reproduit
par procédé photomécanique
Impression Société Nouvelle Firmin-Didot
à Mesnil-sur-l'Estrée, le 2 décembre 2005.
Dépôt légal : décembre 2005.
1ᵉʳ dépôt légal : août 1988.
Numéro d'imprimeur : 76397.*

ISBN 2-07-071402-0/Imprimé en France.

16175